羅針盤なき航海

張競

論創社

まえがき

近年、科学技術の発達には目覚ましいものがある。情報通信機器は二、三年ごとに進化し、SNSは生活の各場面でふんだんに活用されている。ネットにつながらなければ、仕事ができず、日常生活にも大きな支障が起きる。それを支えるのは日進月歩する半導体技術と、猛烈な進化を遂げたアルゴリズムである。

人工知能（AI）は以前に比べてより身近なものになった。AIが世間の注目を浴びたのは二〇一五年、アメリカ人のR・カーツワイルの予測がきっかけである。それによると、二〇四五年には人工知能が人類を超え、「シンギュラリティ」（技術的特異点）を迎えるという。わずか七年ほどしか経っていないが、今日、AIはわたしたちの日常の隅々まで入り込んできている。

その反面、過去の十年は、人類にとって蹉跌の連続であった。環境破壊・気候変動により、高温、干ばつ、洪水、特大の台風やハリケーンが多発し、その被害は年々拡大している。微小プラスチックは海の生態を変えただけでなく、人体にも深刻な被害をもたらしている。科学技術によって生活が便利になった反面、人類文明の根幹である自然は破壊されている。新型コロナウイルス感染症をはじめ、各種の伝染病の多発は人間が動物の生存圏を脅かしたことと無関係ではない。

年間、四万種もの野生生物が絶滅するのは恐ろしい事態である。

科学技術が進歩しても、人間が賢くなったわけではない。二十世紀には途轍もない被害をもたらした世界大戦が二度も起きたにもかかわらず、百年も経たないうちに、悪夢がまたよみがえろうとしている。ロシアによるウクライナ侵攻は、強権的な独裁者の暴走だと軽く見てはならない。世界中の国々が自国中心主義の道を狂奔し始めると、いつかは決定的な破局を迎えるであろう。

書斎にこもり、本を読む日々を送っても、そうした現実に直面せざるをえない。そんなとき、折に触れ、心に浮かび上がってくる思いを書き続けてきた。本書はそうしたささやかな思考の軌跡である。

研究教育に携わっているだけに、取り上げる話題はいきおい教える現場のことに偏りがちである。ただ、少子高齢化、格差、社会安全や福祉などの問題は共同体の一員として利害や関心を共有しているのはいうまでもない。

本書に収められた文章のなかで、もっとも古いのは二〇一五年に発表したものである。いつもなら七年はあっという間という印象があるが、この七年はなぜかことのほか長く感じた。過激派組織ＩＳ（イスラム国）によるテロ、トランプ氏の米大統領就任、米中貿易摩擦の激化、英国のＥＵ離脱など、世間を騒がせた出来事が相次いで起きたが、何といっても衝撃的なのは新型コロナウイルス感染症の爆発とロシアによるウクライナ侵攻であろう。とりわけ前者は日常を一変させ、コロナ前とコロナ後がまるで違う時空になり、パンデミックの前のことは「遠い昔」になった。

その間、グローバル化が退潮し、人類社会はいたるところに亀裂が生じている。協力よりも対立、融和よりも緊張、連帯よりも分断、友愛よりも憎悪に人々は心を奪われた。孔子は、世界中の人々がみな兄弟のように、愛し合うべきだ（四海の内、皆兄弟なり）と言っていたが、残念ながら、文明が発達するにつれ、二千五百年前の哲人が発した言葉はかえって忘れられてしまった。

人類社会はどこへ行くのか。誰もその問いには答えられない。まるで目指す方向もわからないまま、真っ暗闇の海を漂流している孤舟のようだ。書名を『羅針盤のない航海』にしたのは、そのことを念頭においたものである。読者の皆さんにとって、本書が現代社会や人類文化の行く末について考えるきっかけとなれば幸いである。

羅針盤なき航海　**目次**

三　不安定という経験

四　明日のための教育とは

五　コロナという非日常のなかで

六　羅針盤なき明日へ

七　故きを温めて新しきを知る

八　知のアンテナを伸ばして

九　境界を超えた眺望

一　不確実性の時代と文化のあり方

疾走する技術に引き裂かれた社会と文化の行方

新型コロナ感染症は二十一世紀の世界的大事件として、また歴史の悲劇として、今後も長らく記憶され、語られることになるであろう。

完全な防止策はなく、完治する特効薬もない。ワクチンが開発されるまで、感染拡大を防止するためには、患者を隔離するという古典的な手法しかない。パンデミックの直前まで、人々は科学技術の飛躍的な発展に酔いしれ、人類の英知に過剰な自信を持っていた。だが、突如として襲ってきた致死的なウイルスの前で、人々はなすすべもなかった。日常生活の歯車が急停止し、街から人々が姿を消した。

労働、消費、交換が介在する社会活動の循環回路は中断を余儀なくされ、「持続的成長」どころか、散歩や必需品を求めるための外出など日々の行動も制限された。親族や友人に会うことはできなくなり、会議、会食、観劇、スポーツ観戦などの活動は大きく制約を受けている。都市封鎖により日常は巣ごもりという非日常によってすっかり取って代わられた。わたしたちが生きている共同体が直面する問題が顕在化し、社会の歪みが誇張した形で見せつけられた。

人間の精神もさほど成長していないようだ。差別、責任転嫁、魔女狩り、神頼み。遠い昔、感染症の大流行が起きたときの醜い一幕は現代でもくり返された。世界は一瞬にして中世に舞い戻り、歴史の嘆きは空っぽになった都市の上空で力なく木霊(こだま)している。

コロナが克服されたら、すべてが正常に戻り、経済はコロナ以前よりも拡大すると楽観視する声は少なくないが、果たして将来はそのような希望に満ちたものになるだろうか。重要なのはコロナ以前に戻れるかどうかではなく、コロナを克服してもコロナ以前に戻らない心の準備ができているかどうかだ。今後を展望する上で、いま何が問題なのか。文化政治学の視点から考えてみたい。

均質性の消失

二〇二〇年のアメリカ大統領選はその劇的な展開だけでなく、選挙という民主主義の手続きが社会分断を顕在化させた点において、世界中の人々を驚かせた。アメリカ社会に走る亀裂は歴史的にも経済的にもより深いところに根を持っており、人種問題や政治選好は一つの引き金に過ぎない。アメリカだけではなく、西ヨーロッパも多かれ少なかれ、産業構造の変化に伴う社会分断や階層対立の問題に直面している。いずれの場合も、近代工業社会に形成された均質性の消失が最大の原因である。

近代産業は大量の労働者を雇用し、生産の現場において組織化が徹底された。機械化により、大規模農業が実現され、林業や水産業などとともに、第一次産業においても労務提供と報酬支払が労使関係の主要な形態となった。業種によって多少の違いがあっても、雇われる従業員のあいだに極端な待遇の差はなかった。企業現場において彼らは均質的な労働従事者であるだけでなく、市場において均質的な消費者でもあった。

彼らは中等教育か大学教育を受け、社会生活に必要な知識を身につけている。読み書きの能力があり、社会生活を円滑にするためのふるまいや礼儀も一応わきまえている。労務提供者として平準化の条件を満たしているだけでなく、精神世界から意思表示や感情表現の仕方まで多くの共通点を持っている。むろん、意識、行動、価値観は十人十色である。一方、誰もが似たり寄ったりの新聞や雑誌を読み、ラジオやテレビから文化芸術や生活情報にいたるまで、同質の情報を受けている。政治や社会に対する関心でさえ大差はない。

義務教育で絵画や音楽の基本を習った者として、美に対する感性は平均的な市民像という神話との遠近法において自覚される。そうした傾向は大規模な美術展や、大衆向けのコンサート、あるいはテレビの教養番組などによって増幅される。

身体的な刺激と心理的な満足を与えるものとして、スポーツや野外活動、旅行、園芸、釣りなど、ありとあらゆる選択肢が提供され、かつ関連産業も構築されている。どの分野でも領域に特化した情報が提供され、同好者たちがやり取りするための交信の空間も周到に用意されている。

こうして、仕事や生活のみならず、趣味の世界においても人々は均一化の網の目からは容易に逃れられない。終戦後から二十世紀の七〇年代にいたるまで、平和の陽光を浴びて、欧米にとっても日本にとっても暖かな春日和が長らく続いていた。

中産階級の存在が心地よい時代を支えたとすれば、やがて、ヨーロッパもアメリカも中間層の縮小ないし消失とともに、憂鬱な黄昏を迎えることになった。

近代以降、西ヨーロッパやアメリカは社会保障の制度が健全化し、技術力、生産力において世界のほかの地域を凌駕するようになった。それを可能にしたのは、いくつもの特殊な要因があった。イギリスなど西ヨーロッパの国々の場合、植民地の領有による原料の供給や市場の拡大は産業革命が成功するのに不可欠の条件であった。アメリカでは、欧州からの入植者が広大な土地と豊富な資源を手に入れただけでなく、黒人による無償同然の労働力が提供されていた。

だが、第二次世界大戦後、植民地が独立し、帝国主義時代の権益が縮小した。とはいえ、発展途上国では内戦や地域紛争に巻き込まれるところが多く、全力で国内建設に力を注ぐ主権国家はまだ数えられるほど少なかった。

何よりも、社会主義陣営の存在は資本主義経済にとって必要不可欠な「協力者」になった。慢性的な生産力低下により、社会主義国は資本主義世界からの大量の製品購入を強いられており、資本主義に伴う生産力過剰の問題は思わぬ形で緩和された。

終戦直後の日本、六〇年以降の韓国、台湾、シンガポール、香港などはほんらい、欧米の雇い人として世界の舞台に登場したが、やがて先進国にとって不吉な予兆となった。下請けの加工しかできないと思われていた国と地域は先進的な技術を手にすると、その存在感がしだいに高まり、やがて、技術の掌握と科学的な創造性において欧米の先進国と肩を並べるようになった。一連の地殻変動により、欧米諸国はやがて産業構造の転換に追い込まれた。

旧型産業の退潮と社会の二分化

労働人口の集約度の高い石炭鉱業はまっさきに劇的な変貌を遂げた。イギリスの場合を見ると、一九八一年に二百を超える炭鉱があったが、サッチャー政権が新自由主義の経済政策に転換した後、二十年未満のあいだに、炭鉱の数が急激に減少し、二〇〇〇年にはわずか七カ所しか残っていない。

ほかの先進国も似たような過程をたどった。二〇一九年現在、世界石炭生産量のトップ二十か国のうち、先進国はオーストラリアとドイツだけになった。さらに、住民の環境に対する意識が高まるにつれ、重化学や鉄鋼など、環境負荷の大きい業種は生産拠点を発展途上国に移転した。

九〇年代に入ると、中国やベトナムに代表されるような、アメリカの政治的影響を最小限に抑えた強権国家は政治的、経済的な資源を集中的に注ぎ込み、短い期間のあいだにキャッチアップを実現することができた。やがて、東南アジアの島嶼国やインド、バングラデシュなどの主権国家はその後に続いた。そうした国々の出現は世界経済の構造を変え、地政学の地図を大きく塗り替えた。

それに対し、欧米や日本が取った戦略は技術の垂直的な分布構造における優位性の確保である。機械製造や自動車産業はより付加価値の高い製品を生産し、技術を絶えず更新した。さらに、半導体産業を育成し、とりわけＩＴ技術をリードするアメリカは日進月歩の勢いで発展を遂げ、途上国に対し、圧倒的に優位に立つことができた。

だが、そうした努力は一方では共同体の地下断層に思わぬ外力を加えることになった。アメリカのラストベルトに象徴されるように、重厚長大の産業が落日のように地平線の彼方に沈み、かつての中産階級は下流社会に転がり落ちていった。

鉄鋼、機械、重化学に象徴された近代工業はすそ野が広く、大規模な雇用を伴うのがほとんどだ。それに対し、半導体やＩＴ企業は技術集約型の産業で、従業員のなかに高度な専門人材が多数を占めている。重厚長大型のデュポン社を見ると、二〇一九年十二月の売上高は二四六億ドルで、従業員を四万六千人雇っている。ゼネラル・エレクトリックのほうは九五二億ドルの連結売上高に対し、二十万五千人の社員が働いている。

一方、ＩＴ関連の企業に目を転じると、フェイスブックは二〇一九年の売上高が約七〇七億ドルで、従業員はたったの四万九千九百人である。アルファベットにいたっては売上高が一九一八億ドルに達したのに、十万人ほどの従業員しか雇っていない。

一億ドルの売上高に対し、何人を雇っているかを見ると、ゼネラル・エレクトリックは二百十五人、デュポンは百八十七人に対し、フェイスブックは七十一人、アルファベットはたったの五十二人である。つまり、ＩＴ関連産業は従来の産業に比べて、多くとも半分、少ない場合は四分の一の人員しか雇っていない。雇用への貢献度から見た場合、従来の産業とＩＴ関連企業とのあいだに歴然とした差がある。

今後、ＡＩ技術の発展や電気自動車の普及に伴い、雇用状況はさらに厳しくなるであろう。世界的に見ると、ヨーロッパでは将来、四十七パーセントの仕事が機械に代替されるという衝撃的な研究もあり[1]、またドイツで公表された試算によると、自動車のＥＶ化で二〇三〇年までに四十一万人の関連雇用が失われるといわれている。研究機関の「もっとも悲観的なシナリオ」では自動車関連雇用が半分になるという推計もある[2]。

日本も例外ではない。新技術の導入により、雇用者数がもっとも減ったのは事務職だという調査がある[3]。日本自動車工業会の資料によると、製造からガソリンスタンドなど関連部門にいたるまで、日本の自動車関連の就業人口は五百四十二万人にのぼるというが、今後、グリーン・テクノロジー技術が進むにつれ、雇用状況がいっそう厳しくなるのは避けられない。

専門的な知識や技能を必要としない単純労働は建設作業や介護、配送などの国内サービスを除いて、今後もさらに先進国から低賃金の発展途上国に流出するであろう。

トランプ政権のように、よれよれの旧型産業を強引に国内に回帰させたら、問題は解決するのだろうか。答えは明らかにノーである。壁を作っても、賃金の水位差により壁はたちまち押し流されてしまうからだ。何より世界経済のネットワークから抜け出し、斜陽産業をひたすら保護するならば、イノベーションの意欲が削がれてしまい、激しい国際競争のなかで世界に遅れることになるであろう。

ＩＴ、人工知能（ＡＩ）の関連作業は雇用人数が少ないだけでなく、ほかの業種との給与の差も歴然としている。工業化の時代には技術、技能の習熟度、経験や勤務歴、さらには企業規模や経営状況により、多少の違いがあるものの、給与に断層的な差異はなかった。ホワイトカラーにしろ、ブルーカラーにしろ、かつての大規模産業が求めたのは誰でも代替できる、均一な労働力であった。報酬の面における差別化を図る必然性はなかった。

だが、ＩＴ、人工知能の分野では専門的な人材が果たす役割は大きい。創造性の対価としての報酬も相対的に高いものになる。

このように、デジタルや人工知能関連の産業と、旧型産業のあいだに深い地溝を抱えており、まるで二つの世界にすみ分けているようにも見える。今後、かりにＡＩ技術やロボットによって大量の肉体労働や事務労働が代替されるようになったら、その傾向はいっそう加速することが予想される。いずれ中間層のような多数者の集団はなくなり、かわって専門技術を持つ者と持たざる者、富める者と貧しい者に分かれる社会が到来するであろう。

多様性と多数形成の困難

中間層が消失してから、それに取って代わる新たな多数者の集団が形成されるのだろうか。遠いさきのことはともかくとして、近い将来、おそらく楽観的な展望は望めない。技術が高度になればなるほど、求められる人材も相応してより多くの専門知識を習得し、特殊な技能を身につけなければならない。

二十世紀の中頃、大学を卒業しただけでも高学歴と目されていたが、いまは理工系卒の学生のうち、修士課程の修了者がかなり高い比率になっている。彼らの人生において学びの時間が相対的に長く、専門性を身につけるために多くの労力を払っている。したがって、相対的に高い報酬を得るのは不平等とはいえない。社会に対する貢献度という視点から見れば、むしろ技能や知識を取得する対価を考慮して、傾斜配分をしたほうが公正さを体現しているというべきであろう。

ほかのエリート層と違い、雇用された専門技術者も給与生活者に過ぎない。科学が進歩し、技術が発展すればするほど、事務労働者の仕事が機械に代替され、専門技術者の果たす役割は高くなる。だが、専門技術者は一定の基準と目的にもとづいて多数のものから選びだされた者だから、統計的には少数派にならざるをえない。

問題はかつて社会の多数を占めた中間層がどうなるかである。工場での単純作業なら、先進国の労働者は発展途上国に太刀打ちできない。工業化の時代と違い、先進国の単純労働者は就職の機会が減るか、仕事についても高い給料は望めない。しかも、専門技術者とのあいだに報酬の差が開く一方である。

工業化の時代にも格差の問題はあった。だが、その場合、租税制度にもとづく富の再配分が有効に機能していた。それが可能なのは二つの理由がある。一つは経営者や管理職のような高収入層の多くは給与生活者と連帯して利益を得たのであり、富裕層に課される高い税率は社会の安定のための、必要なコストとして受け止められていたからである。じっさい、その利益は目に見えない形で社会に還元されていた。二つ目は中間層の存在は傾斜税率が有効に機能する下地を作った。彼らは給与所得者とはいえ、ある程度の経済力を持っている。程度の差こそあれ、一定の税収貢献ができる。

労働市場が断片化し、給与所得者のあいだに経済格差が生じるとき、租税制度による富の再配分は機能しにくくなる。高度な専門技術者は努力に見合うような報酬を求めているのだから、収入が高いという理由だけで、彼らに高い所得税を課すのは配分の公正さが損なわれるだけでなく、個人努力のモチベーションを低下させかねない。反対に、能力主義に徹すれば、経済格差、社会格差は拡大することになる。

今後、テレワークの拡大により、事務的な仕事の海外移転はコスト削減策として以前よりも注目されるであろう。将来的にはＡＩの脅威に晒されることにもなりかねない。多国籍企業の国境を超える展開により、単純労働者は職を奪われるか、賃金の切り下げが迫られることになるであろう。

中間層からこぼれ落ちた人は配送サービス業、外食業、清掃業、建設業から防犯、警備にいたるまで、さまざまな業種に就くことになるが、その多くは契約社員や派遣社員など非正規雇用である。地域、業種など多種多様で、雇用形態は流動的である。経済状況はまちまちで、彼らのあいだで社会的な利害関係が必ずしも一致するわけではない。

労働がきついわりには所得は必ずしも恵まれないから、彼らに納税による社会貢献は期待できない。課税による富の再配分という魔法の手法は威力を発揮しにくくなる。福祉社会という軽やかな物語は技術の高度化という突風に吹き飛ばされてしまったのである。

親密性の変容と言論空間の蒸発

ユルゲン・ハーバーマスはかつて十八世紀の社会的な共通認識の形成に関連して、「公共圏」という概念を提起したが、市民が政治や社会的な関心事について語り合う空間は何も十八世紀にかぎったものではなく、十九世紀以降も確実に存在していた。ヨーロッパのパブ、カフェ、大衆レストランがそうだったし、日本の居酒屋などではかつて政策についての不満や政治家の噂話は酒のつまみであった。アメリカは都市部と郊外とでは違うが、後者の場合、友人、同僚、近隣、同じ教会の人たちが集まるホームパーティは似たような社会的な機能を担っていた。

アメリカの本屋や公共図書館では新刊本の著者や詩人、小説家の朗読会や講演会などはよく催され、その後、軽食が用意された雑談の時間が続く。見知らぬ市民が一堂に会して、社会的、文芸的な関心事について意見を交換する場になっている。

こうした公共的なコミュニケーションの空間はいくつかの特徴がある。一つ目は情報の信頼性である。ひと昔まえ、政治、経済から文芸、生活にいたるまで、市民が手に入れる情報はほとんど例外なくマスメディアによって提供されていた。マスメディアでは、専門家か専門家の意見にもとづいて、ジャーナリストによって問題が提起され、争点もよく整理されている。報道に対して、チェック体制も確立されており、マスメディアの外側には司法や検察など権力による監督のみならず、オンブズマンから市民団体にいたるまで、監視の網が二重、三重にもはりめぐらされている。捏造や誤報はまったくないわけではないが、嘘がまかり通れるような状況ではなかった。

二つ目は出会いの偶然性である。年齢、性別、職業、経歴、経済状況、社会的地位の違う人たちが同じ空間で出会い、つねに異質性を身近に経験することができる。異なる意見は抽象化された概念としてではなく、目の前にいる人の発言という現実に即した理解として受け止められている。この場合、世界の多様性、さまざまな人間模様を知るだけでなく、人間社会において、他者があっての自分という、再帰的な認識に到達するきっかけにもなる。

第三に、話し合いのなかで争点を見つけ、対立を解消するために、妥協点が見つかりやすい。

人間は集団生活の動物で、協力と協調の願望を本能的に持っている。対面交流の場合、他者とのつながりを実感して、相手に対し親しみの情を抱きやすい。言葉を交わしているうちに、苦しみや悲しみを分かち合えるようになる。親密性を介しての意見交換は対立や衝突を激化するのではなく、反対に相手に対する理解を深めているうちに、対立を超えた妥協点を見いだしやすい。このような意見交換が習慣化すると、共同体や自治体ないし国家などより広い範囲において争点が起きた場合でも、議論を通しての総意形成は達成しやすい。

第四に、対面交流によって、市民同士の連帯感を強めることができる。政治、経済、福祉についてだけでなく、文芸から趣味にいたるまでさまざまなことについて言葉を交わすことは共同体への帰属性を再確認することにつながる。見解が違っても、互いに同じ共同体の成員、同じ仲間という感覚があり、不倶戴天の敵という認識にはならない。対面式の意見交換では市民社会の良識や基本的なマナーが公共空間でのふるまいにもくびきをかける力となり、情緒の暴走を抑止し、論理的なやり取りに導かれやすい。

だが、情報技術の進歩により、市民が交流する形は一変した。じっさい、近年、急拡大したSNSにおいて、世論形成はまったく異なる様相を呈している。互いに顔が見えないし、偏った情報しか情報端末に入らない。SNSの集団形成には一つの目立った特徴がある。見解の近い人たちが集団を作り、仲間のなかでは同じ傾向の意見しか許されない。同質の意見が往復しているうちに過激化し、嘘も差別的な表現も、ひいては人身攻撃も許されてしまう。匿名の参加者が多いため、そうした傾向は増幅されやすい。

仮想空間では人と人のあいだに社会的な距離を取る必要はないから、ふるまいやマナーにおいて倫理の低下を招きやすい。じっさいSNSでは粗雑な言語が横行しており、対立意見に対して攻撃的になりやすい。アメリカのトランプ支持者と民主党支持者の関係に先鋭的に象徴されるように、かつてのように争点について冷静に議論し、妥協点を見つけた上で、総意を導き出すという方法はもはや通用しなくなった。ソーシャルメディアは確実に現代政治の形を変えつつある。

ビッグデータの独裁は到来するか

社会のあり方や制度は自律的な動きがある一方、価値の配分はつねに社会構造の変化と連動している。社会分断の因果関係を物質や資本の循環経路にのみ求めても、おそらく真実にはたどり着けないであろう。近代を振り返ると、蒸気機関、電子機械、情報技術など、物質世界の画期的な進歩は社会の内部応力を大きく変えてきた。今日の状況について思索をめぐらしたとき、人工知能、ロボット工学、量子コンピューターなど、新しい時代を開く新技術が及ぼした影響も視野に入れなければならない。なかでも、ビッグデータと人工知能はやがてパラダイムシフトを引き起こすであろう。

人工知能の未来について、専門家のあいだでも見方が分かれており、人類の生存を脅かすと見る人もいれば、そうした見解を軽蔑する意見もあった。[4] ここではそのような議論に立ち入るつもりはない。そのかわり、人工知能やビッグデータは人類文化にどのような影響を及ぼすかについて考えてみたい。

デジタル技術の発展がかつて誰も予想しなかった事態をもたらしたのはまちがいない。その最たる例は、自己選択権の放棄を快楽として提供する技術の登場である。ウェブ利用の経験があれば、誰でも気づくことだが、インターネットに接続すると、自分が直近に検索した事項と関連性のある商品広告が突如として現れてくる。いうまでもないことだが、ビッグデータの解析にもとづき、ネット利用者の興味、関心、嗜好、趣向はアルゴリズムによって算出され、それに見合う商品が自動的に画面にポップアップしてくるからである。すなわち、誰かの意思にもとづいて、特定の情報を提供するのではなく、データの自動解析にもとづき、対象が自動的に選定されるのである。

同じことはさまざまな場面に起きている。英語ニュースを検索していると、いつの間にか検索者の趣向が読み取られ、その趣向に合うような報道しか出てこなくなる。ビッグデータにもとづき、ＡＩが正確に利用者の読みたい情報を探し出し、優先的に表示するからだ。

この傾向はとりわけＳＮＳでは顕著で、その最たる例は TikTok（ティックトック）である。短い動画プラットフォームだが、若者を惹き付けたのはビッグデータにもとづき、利用者の選り好みに応じたコンテンツが提示されることである。利用者の気まぐれに寄り添うだけでなく、本人が気づいていない趣向も読み取られて、それに見合う内容が示されている。ビッグデータを活用するＡＩはまるで読心術という超常能力を持っているようで、まさにその点において神の領域に踏み込んでいるともいえる。

情報化社会を生きている以上、古典的な意味のプライバシーはもはや持ちえなくなる。スマホを使用しているかぎり、すべての行動や通信の履歴は詳細に記録されている。外食や買い物などの消費行動も克明に把握されているだけでなく、散歩や戸外運動、公園での休憩などの個人情報も自動的にビッグデータとして収集される。今後、電子決済が普及すれば、レストランでどんな注文をし、ショッピングモールでどのような服や化粧品を購入したかなど、暮らしの細部も漏れなく収集される。そうした情報を分析すれば、個人の日常が丸裸にされるのみならず、その人の視覚、味覚、嗅覚など感性の特徴と傾向も洗い出され、心の奥底のさざ波でさえ、余すところなく自動走査されることになる。監視カメラは顔を識別するだけでなく、歩き方や歩行速度から日々の体調を推測することも不可能ではない。今後、ＡＩが人間の表情から感情を読み出せるようになったら、もはや内面生活まで白日のもとに晒すことになるであろう。

そのような神通力を持つビッグデータはただ受動的に情報を活用していると思ってはいけない。肥大化する情報の集積と不気味な分析力は人間に働きかけることもできる。前述のように、ネット動画配信サービスをしばらく視聴すると、利用者の好みに合わせて、次の視聴候補が自動的に示される。この「便利」な機能を利用すると、「好きだから見る」にとどまらず、「多く見ているから、ますます好きになる」ということになり、最終的にはその人の好みを誘導することもできる。

利用者の関心や興味を満足させるだけでなく、彼らの趣向を先取りし、さらに変えることもできる。まさにその点において、ＡＩはこれまでの技術と決定的な違いがある。機械は指示されたまま、あるいは事前にプログラミングされた指令にしたがって動いている。しかし、ＡＩは勝手に判断を下し、その判断にもとづいて行動する。それまでの機械が設計者や操作者が意図した通り動き、起動、運転、停止などはすべて人間のコントロールのもとに置かれているのとは根本的に異なっている。

人工知能は深層学習によって自動的に能力を身につけている。どのようなメカニズムで、なぜそう判断したか、人間にはわからない。人知の力が届かないところで判断され、次の行動が決定される。まるで意思を持っているかのごとく思考し、行動しているようだ。神を思い起こさせる超常の能力だが、ＡＩとビッグデータは人間のすべてを監視し、人の心の奥深く見通し、さらに彼らの行動をも左右する日が果たして来るのだろうか。

そのように考えると、科学の進歩をただ無邪気に喜び、生活の便利さを謳歌するより、むしろ個人の自由が失われる日の到来を危惧すべきではないかと思う。じっさい、スマホの画面に「週間レポート」が無造作にポップアップし、「過去の１週間、スマホを見る時間は先週から22％増え、１日平均３時間12分」とか、「今週歩いた１日の歩数は先週より少ないです」などの表示を見ると、余計なお世話というより、私生活のすべてが監視されているような気がして、ぞっとした経験を持つ者は少なくないであろう。強権政治はさすがに日常の隅々まで監視することはできないし、独裁者はいずれ寿命が尽きる日が来る。しかし、情報化社会では誰もがスマホなどの電子デバイスを肌身離さずに持っており、情報機器は昼夜を問わず、人の動きを監視している。しかも、AIは人の動きを予測してモニターすることができるし、ビッグデータは人が死んでも消えない。人類史上、はじめて全知全能な独裁者が登場した。今後、AIとビッグデータという名の独裁者がどのような動きを見せるかはまったく予測できないが、人工知能はすでに人の手から離れて、完璧な独立王国を築き始めているのかもしれない。

そのさきに技術の進歩はやさしいそよ風のように明るい未来を携えて訪れてくるか。それとも人間は疾風怒濤のような精神の煉獄に落ちるのか。高度に発達した情報化社会において、いかに人間らしさを取り戻すかは、将来の社会のあり方を考える上で新たな課題になるであろう。

人間精神とその表象の行方

人工知能の登場は人類文化の領域にも巨大な影を落とすことになるであろう。

文学は読まれなくなり、現代芸術は誰にもわからないものになってしまった、といわれて久しい。コロナ禍により、多くの人たちが巣ごもり生活を強いられているなか、状況変化の兆しはまったく見えない。それどころか、文学も芸術もますます日常から遠のいてしまった。ゲームに完敗したのは文学・芸術だけではない。マンガやアニメも太刀打ちできなくなった。

長い歴史のなかで自然と人間のかかわりについての思索、およびその表象としての芸術は人類の精神生活において中心的な位置を占めていた。近代工業社会が成立する前、自然は生きることを左右する超能力として認識されていただけでなく、人間も自然の一部であることは身体的な直感として共有されていた。生は自然を抜きにしては語れない。芸術は人格化した自然に捧げる頌歌であり、生命の豊穣にとって霊的な大地に潤いを与える、聖なる水であった。

大量生産大量消費の時代には、文学芸術は膨大な中間層の存在を前提に創られていた。美の創出が大衆的な趣味に合わせているという意味ではなく、彼らが背伸びをすれば、薄っぺらな芸術的体験が幸福の物語として提供されているからである。小説も詩も絵画も高尚の隠喩であると同時に、文化帰属の自己定義であり、市民的教養をほのめかす社会的イコンであった。

一方、小説も絵画も幾度となく分節化を遂げ、多様な欲望に対応する作品づくりが試みられていた。言語実験の小説やシュールな美術作品から、大衆的な好奇心や虚栄心を満足させてくれる通俗小説や、装飾性を凝らした絵画作品にいたるまで、多種多様な文化消費の饗宴が用意されていた。

しかし、長い人類の歴史において眺めると、派手な文芸の泡沫が出現したのは例外的な現象である。小説や詩が文化ヒエラルキーの頂点に君臨するようになったのはそれほど古いことではない。詩文が官吏登用試験「科挙」の科目であった中国は例外だが、近代以前の欧米も日本も文学は大多数の人間にとって日常から遠く離れた存在であった。高尚な文芸は優雅な身分をほのめかす香水の匂いのようなもので、一方、大衆芸能は祝祭の時間における感覚の陶酔に浸る非日常的な体験であった。人間の精神を豊かにし、人格を陶冶するというのは所詮たわいないおとぎ話に過ぎない。

近代工業社会が成立してから、モノの消費とともに情念消費も中間層の関心事になった。都市の巨大化に伴い、文化情報の伝達は同僚との会話、飲み会の話題、同窓会の思い出など、さまざまなコミュニケーションの場における必要不可欠なものになった。文学や芸術の雑学は小市民的な日常を営む上で、他者とつながりを確認する上で粘着剤のような役割を果たしていた。

新聞小説が近代的なメディアの玉座に昇り詰めたのは、その言語芸術的な側面よりも、むしろ近代工業社会における、大衆的な欲望に応える諸条件を満たしていたからである。教育の普及効果もあって、小説は均質化した労働者たちに、内面の表象をほのめかしながら、情念の満足を可能にした安っぽい様式であった。彼ら／彼女らは近代的な工場という途轍もない巨大な空間において自分と同じことを考え、己と似た暮らしをしている人たちの心境を知って安堵し、物語を読むことで精神の喜びを手に入れることができた。大衆向けの読み物は近代工業に従事する者にとって、労働の疲れを癒し、心身の緊張を緩和してくれる精神安定剤でもあった。

しかし、二十世紀の終わりを待たずに、状況が大きく変わった。メディアも技術の進歩とともに激しい変貌を遂げた。インターネットの登場は活字メディアに最後の一撃を与えた。精神の充実体験を満足させてくれるコンテンツはネット上でひしめき合っており、目くるめく映像や魂を揺さぶる音楽の前で言葉はあえなく敗北した。言語の領域でも人々が求めるのは伝達機能だけで、言語芸術を享受するのは時代遅れの虚栄心と見なされた。

かつて近代文学は知識や教養の象徴だけでなく、生き方の隠喩であり、倫理や正義の方向ベクトルでもあった。小説家や詩人は市民の平均的な感性の代弁者と目され、政治的社会的な出来事が起きると、メディアで見解が求められることもしばしばあった。しかし、インターネットのおかげであらゆる情報や知識の検索は極端に便利になり、もはや文学が介在する余地はない。

何よりも他者の声に耳を傾けるより、自ら声を出すことに人々は陶酔した。ツイッターのように、たわいないことをくり返す快感を体験した人はもはや壮言大語にも、処世の教訓にも、さらには人生論にも興味を持たなくなった。こうして、文学はついに聖壇から降ろされてしまった。

人工知能が人間を超えた暁には

文学芸術が時代のうねりのなかで凋落したのは、むろんこの表象様式と世界とのかかわり方に原因がある。そのことについて、すでに幾度も議論されてきており[5]、ここではくり返すつもりはない。

いま、問われることは二つある。一つは言語の鑑賞的価値の行方である。書くことは、ほんらい意味の伝達と表現の美しさという両面を持っている。十九世紀小説はその両者を併せ持っているが、作品の美的価値はつねに創作者の想像力と鑑賞者のまなざしのあいだの緊張関係に晒されている以上、直観的な感知による揺れを解消するためにも、芸術性の審級は不可欠なものである。ただ、作品の序列付けが自己目的化すると、やがて黄昏を迎えることになる。表現の位階制が出来上がる暁には、社会的な受容とのあいだに大きな齟齬が生じるのは避けられない。

それに対し、ネット上において、書くことの意味はもっぱら伝達の機能性に集中されており、言語の美的価値への追求は最初から放棄されている。ソーシャルネットワークのなかに、字数制限が設けられているものもあり、発信側と受信側を問わず、言語表現における美的体験には無関心である。

むろん、ネット上に書かれているものは、活字メディアとパラレルな関係にあるものから、目的が漫然とした記述にいたるまで、多種多様にわたる。仮想空間の読み手は趣味や愛好が多様化しており、読まれるかどうかを度外視すれば、いかなる言語表現も可能である。その意味では、言語芸術も彫刻や絵画と同じように、消えてなくなることはない。作品の価値低下は文化ピラミッドの頂点からの転落を意味しているだけで、ジャンルとしての滅亡の表徴ではない。

ただ、科学者は遠くさきの風景を見ている。コンピューター言語は人文系の人間にとって無味乾燥な記号の羅列に過ぎないが、プログラム言語の専門家の目にはまったく異なる光景が見えるらしい。「自然言語において書くことが表現形式の一つであるのと同じく、コーディングもまた、表現形式の一つだ。私にとって、単純なコードのなかには詩的なものがある――着想を実に巧みに表していて、自然言語における表現と同じく、そこには美的な側面がある」[6]。プログラミングの現場にいる人間が記号の配列に「詩的なもの」を見たとはおそらく文飾ではない。分野を超えた会話はいかに大事かをいま一度思い起こさせた。

いずれにせよ、文学芸術がいかに挫折から立ち直り、新しいメディアと再びワルツを踊るかは新たな課題というより、技術が疾走する前で、もうどうでもよいことになったのかもしれない。より深刻な試練は二つ目の問いかけに秘められている。すなわち、人工知能は果たして人間を超えるか。また、人工知能は感情を理解し、芸術を創造できるのか。

人工知能研究者の松尾豊はそれまでの開発経験を踏まえ、人工知能が人間を超えられるだけでなく、言語以外に「言語のようなもの」を作る可能性を示唆している[7]。

囲碁や将棋の世界では、人工知能が人間をはるかに凌ぐことはすでによく知られており、コンピューターがレンブラントの絵を描いたことで世間を驚かせたことも、いまだ記憶に新しい。競技の場合、コンピューターに勝てなくても、人間同士の競争には意味がある。また、コンピューターによる絵画制作は確かに衝撃的だが、それはしょせん人工知能が深層学習をした上での生成であり、機械が独自に創造したわけではない。

ところが、かりにコンピューターが芸術作品を創作できるとしたら、人間の知能は根本から問い直されることになるであろう。なぜなら、意志を持たない（であろう）機械がどのような精神生活を持ち、いかに表象するかは人間に突き付けられた究極の問いになるからだ。そもそも人間の内面とは何かも再考を迫られることになるであろう。

さらに困惑するのは、かりに人工知能が創作できるならば、優劣を客観的に評価するのは人間なのか、それともコンピューターなのか。もし、人間を超えた文学や芸術作品が作られたら、人間の創作活動は果たして意味があるのだろうか。言語以外の「言語のようなもの」が人間文化を記述するならば、どのような世界が現れてくるか。わたしたちはこれからの半世紀のあいだ、経験を超えた現実に直面しなければならないかもしれない。

人間が作り出した「技術」が際限なく自然を飲み込んでいくのか。それとも、環境破壊の報いとして自然の復讐により人類が滅亡に向かうのか。技術がそのまま突き進んでいくと、どのような未来の風景が見えるのか。数式処理システムを考案した科学者はわたしたちに思いもよらない将来の見取り図を見せてくれた。「人間の意識がデジタル化されて容易にアップロードでき、バーチャル化されるなどして、一兆もの魂が一つの箱に詰め込まれるときがやってきたとしよう。箱のなかに一兆の魂があり、すべてバーチャル化されている。箱のなかでは、分子レベルの計算が進行中だ——生物学から生成されたものかもしれないし、そうではないかもしれない。だが、その箱はさまざまな種類の複雑で入り組んだことをするだろう。箱の隣には、岩が一つころがっている。岩のなかではつねに、さまざまな種類の複雑で入り組んだことが進行中で、さまざまな種類の亜原子粒子がさまざまな種類のことをしている。この岩と、一兆の魂が入った箱の違いはなんだろう？　箱のなかで起こっていることの詳細は、人々が前日にYouTubeで観たものがなんであれ、それも含めて人間の文明の長い歴史から生じたもの、というのが答えだ。一方、岩には長い地質学上の歴史はあっても、われわれの文明という特定の歴史はない」[6]。技術が進歩してたどりついた至福の彼岸で、科学の結晶はその辺にころがっている岩と等価である。科学者の予想は突飛というより、その仏教的な論理飛躍は真実をついているかもしれない。

疾走する技術は人類をどこに連れていくか、予測できる者は誰一人いない。確かなのは、途轍もない大変化がすでにわたしたちの足元に起きていることだ。

参考文献

（1）Carl Benedikt Frey & Michael A.Osborne, The Future of employment: How susceptible are jobs to computerization. Published by the Oxford Martin Programme on Technology and Employment , https://www.oxfordmartin.ox.ac.uk/（2021.2.1 アクセス）

（2）『日本経済新聞』二〇二〇年十二月三十日三面

（3）岩本晃一編著『ＡＩと日本の雇用』日本経済新聞出版、二〇一八年十一月、一八一頁。

（4）バイロン・リース、古谷美央訳『人類の歴史とＡＩの未来』ディスカヴァー・トゥエンティワン、二〇一九年四月、一〇～一一頁。

（5）ウィリアム・マルクス『文学との訣別』水声社、二〇一九年三月。

（6）スティーヴン・ウルフラム「人工知能と文明の未来」ジョン・ブロックマン編、日暮雅道訳『ディープ・シンキング』青土社、二〇二〇年一月、三五八＆三六三～三六四頁。

（7）松尾豊「人工知能――ディープラーニングの新展開」西山圭太、松尾豊、小林慶一郎編『相対化する知性』日本評論社、二〇二〇年三月、九八頁。

二　内からの眺め、外からのまなざし

難民移民、日本の対応は

この夏、二十年ぶりにイギリスを訪ねた。前回は国際学会のついでにロンドンに寄っただけで、滞在時間も短かった。今年は夏休みということもあって、少し余裕のあるスケジュールを組み、ウェールズやスコットランドにも足を伸ばした。

夏とはいっても、旅立ったのは九月上旬である。ヨーロッパでは難民の殺到でてんやわんやの時期でもあったので、現地で何が起きたか自分の目で確かめたかった。イギリスはヨーロッパ大陸からやや離れているとはいえ、EU加盟国である以上、無関心でいられるはずはない。

二十年ぶりのロンドンはさすがに大きな変化が起きている。ひと昔まえ、イギリスの料理といえば、「まずい」という言葉は枕詞のようについていた。いまはイタリア料理、フランス料理をはじめ、インド料理、メキシコ料理など外国料理が急増している。地元料理の味付けもずいぶんよくなった。ロンドン人の夕食は遅い。外食の場合、八時からはじまるのも決して珍しくない。夜九時過ぎに裏町の飲食店を覗くと、市民たちがワインを飲み、夕食を楽しんでいる姿がよく目に映る。好奇心で食べてみると、いずれも東京とたいして変わらない。

テレビをつけてみたら、予想通り、難民の話ばかりである。ロンドンに到着した翌日、キャメロン首相はシリア周辺国の難民キャンプから五年で二万人を受け入れる方針を発表した。ドイツやフランスはともかく、かのイギリスも、と驚く人がいるかもしれないが、ロンドンの町を歩いてみると、何となくわかるような気がした。

最大の変化は二十年前に比べて、移民が多くなったことである。いや、移民かどうかは本当はわからない。しかし、ホテルでも料理屋でも商店でも、明らかに英語が第二言語の従業員が多い。まだ滞在歴が浅いからか、英語のアクセントがきつく、理解するにはひと苦労する。人種でいうと、とくに白人系が多い。朝、ホテルのエレベーターに乗ると、清掃員の女性たちと乗り合わせることがある。いずれも白人だが、話している言葉はまったくわからない。しかも、仏語や独語やイタリア語など西ヨーロッパの言葉ではない。

あまり知られていないが、イギリスは島国ながら昔から移民の国である。「英国」といえば、アングロ・サクソン人の国という印象を抱く人が多いが、むろんそれは大いなる誤解である。そもそもアングロ・サクソン人は五世紀に移住してきたたし、ノルマン朝を創始したノルマン人もまた外来者であった。近代になってから、欧州からの移住者が多く、第二次世界大戦が終わった後、旧植民地から多くの労働者が移民として移住してきた。EUに加盟してから、東欧からの移民が急増したという。そうしたこともあって、近年、イギリスでは移民に対する反発が大きい。去る五月の総選挙でキャメロン首相を率いる保守党は二〇一七年までにEU離脱の国民投票を実施することを掲げて勝利したのもそのような背景がある。

シリアから大量の難民が殺到したとき、イギリス政府が最初消極的な反応を示したのもそのためであろう。ただ、その後の方針転換は必ずしもドイツやフランスを追随したものではない。

六十七年前に国連で採択された「世界人権宣言」は、「人類社会のすべての構成員の、固有の尊厳と平等にして譲ることのできない権利」を認め、「すべての人は、生命、自由及び身体の安全に対する権利を有（し）」、「自国その他いずれの国をも立ち去り、及び自国に帰る権利を有する」と規定している。言い換えれば、そうした権利が脅かされるとき、どの国も手を差し伸べる義務がある。そのような人権思想を共有しているからこそ、一国の利益を越えて行動を起こすことができたのであろう。

日本はどうすべきか。これまでさまざまな議論があったが、この場合、外国にどう見られるかを気にするのではなく、是非曲直の見地から判断する必要がある。そうしないと、受け入れてからの反動が大きい。国際社会での評判は行動の結果であって、評判のために行動を起こすのなら本末転倒である。

破壊のさきに平和訪れず

パリで起きた同時多発テロは世界の人々に大きな衝撃を与えている。襲撃の規模にしろ、手口の残忍さにしろ、市民の死傷者数にしろ、九・一一以来最大のものである。その直前のロシア旅客機墜落事故もＩＳの仕業と判明され、イスラム過激派によるテロの恐ろしさを改めて思い知らされた。

事件の後、フランスとロシアは報復のためにシリアを拠点とするＩＳに対する空襲を開始し、アメリカも協力して空爆をしたと伝えられている。

空間的な距離もあって、日本で感じた緊迫感は西欧とやや違う。しかし、一連の報道で「イスラムはやはり怖い」と思う人も少なくないであろう。

テロは人類に対する犯罪であり、許しがたい行為である。そのことは一点の疑いの余地もない。同時に、再発防止のために何をすべきかについても考えなければならない。イラク戦争以来、テロを封じ込めるために多大な軍事力が投入されている。しかし、目立った効果は上げられておらず、状況はむしろ深刻化している。問題を根本的に解決するためにはどうすればよいか。いま、そのことが問われている。

まず、現状を冷静に分析する必要があるであろう。今回のテロ襲撃では実行者がほぼ全員死亡している。なかには自爆した人もいた。つまり、死を覚悟した攻撃である。前途有望な青年たちはなぜ自らの命を差し出すまで無辜の人たちの命を奪おうとしたのか。彼らの目的はいったい何か。

人間は誰しも生きたいと思う。死はやむを得ない選択である。それでもあえて死を選んだのはなぜか。

個々人にはそれぞれ異なる事情があるにせよ、彼らの目的は政治的な訴えであろう。極端な行為に踏み切ったのは、その衝撃や激しい反発を狙うためである。では、彼らは非人道的な手段まで使って、いったい何を訴えようとしたのか。

一口に過激派とはいっても、少なくとも三種類に分けられる。一つはパレスチナ出身者である。彼らは故郷から追われ、ガザ地区はいまだに占領されている。二つ目はヨーロッパのイスラム系移民の二世や三世である。彼らは居住国の国民でありながら、人種的・宗教的な壁を乗り越えられず、社会から孤立している。三つ目はイラクやシリア出身者である。彼らは家をなくし肉親を失い、国土が滅茶苦茶に破壊された。共通しているのは将来を展望できず、生きる希望を失ったことである。彼らは、祖国がどのようにひどいことをされているかは誰も関心を持たず、自分たちの声は世界に届かないと思い込んでいるであろう。

パレスチナ問題の解決はむろん双方の努力が必要だが、イスラエルの出方がより重要である。

欧州の移民問題は多文化共生の難しさを語った一面は確かにある。移民はたんに労働力だけではない。その受け入れは異質の文化を内部に抱えることになる。ただ、移民の人口に比べて、テロリストはきわめて少数である。移民とテロリストとのあいだに必然的な因果関係はない。テロを生み出す土壌があれば、人種や国を問わず、テロリストが現れない保証はない。

イラクとシリア問題の発端は武力干渉である。民主主義という大義名分はわかるが、戦車や戦闘機、ひいてはミサイルまで動員して独裁者を倒しても、すべてがうまくいくとは限らない。イラク侵攻の場合、そもそも開戦の理由は虚偽であった。現代国家の仕組みは複雑になっている。国家機器を毀し、文明を破壊するのは簡単だが、再建するのは難しい。そのことはイラクとアフガニスタンの惨状を見れば、一目瞭然である。

衣食足りて礼節を知る。二六〇〇年前の古人はすでにそのことをよく知っている。市民社会で税金を使って貧困層を救済するのは決して憐憫からではない。平和な共同体生活を営むための、必要な社会的コストである。と同じように、他国を破壊すれば、自分の国にも平和は訪れない。衣食に困らず、暖かい家があれば、誰も他人を攻撃したくないであろう。テロ行為を非難すると同時にそのことを肝に銘じたい。

日本の見識　世界に示して

電車のなかで思わぬ一幕を目にした。中年のおばさんが乗り込んでくると、いきなり女子大学生ふうの二人に言いがかりをつけた。

「リュックサックは邪魔！　マナーが悪い。あなたがたは中国人？」

「いや、別に」と若い女性が苦笑いすると、

「こんなことをするから、中国人といわれる。日本人はそんなことをしない。前にかけられないの？」

若い女性らが黙っているのをいいことに、おばさんは延々と悪態をつく。

それにしても、「日本人は…」とは奇妙な表現である。一口に日本人とはいっても、ピンからキリまである。礼儀正しい人もいれば、柄の悪い人もいる。善良な市民もいれば、服役中の人もいる。人によって、育つ環境や受けた教育や性格は違い、考え方も振る舞いも千差万別である。「日本人」として一括りするには無理がある。ましてやいまや「日本人」とはもはや自明ではない。海外で生まれ育ち、日本の国籍を持ちながら日本語が一言も話せない人や、二重国籍のまま成人した人たちは増えている。

どの国の人も「何々人」で一般化してはならない。その理屈は多くの人が知っている。それでもメディアを含め、日常生活のなかでよく耳にするのはなぜか。一言でいうならば、自信のなさであろう。個人として自立できず、何かの大きな集団に寄りかからないと不安になる。「日本人だ」と思うことで思考が停止し、自分の置かれた立場を考えなくて済む。ほんらい、電車のなかで他人に言いがかりをつけることこそマナーが悪い。しかし、当の本人はまったく気づいていない。

幸いに、そのような人はごく少数である。最近、中国のネットでは「なぜ香港では中国人観光客が嫌われているのに、日本では歓迎されているのか」が話題になっている。数年前、中国人が香港で爆買いをすることに、一部の香港住民が反発した。大陸の観光客を取り囲んで罵ったり、揉み合いになったりする事件が多発した。中国人観光客は嫌気を差し、一、二年前から香港への旅行が激減した。そのかわりに、大量のツアー客は日本や韓国に流れ、昨今の「爆買い」の一因となった。

日本では中国人の「爆買い」に反対するどころか、むしろさまざまな便宜を提供している。中国人観光客が感動し、さすがに日本は懐が深い、商売の真髄をよく心得ている、と評価する声がネットで多く出ている。

そこで、慌て出したのが香港である。今年の旧正月である春節はほんらい書入れ時なのに、商業地区ではかんこ鳥が鳴く状態が続き、未曾有の不況に商店主たちは頭を抱えている。

予兆は早くからあった。大陸からの観光客がいっとき香港に押し寄せ、乳幼児用の粉ミルクを片っ端から買い上げた。乳幼児のいる住民は憤慨し、香港政府も民意に応えて、粉ミルクの持ち出し禁止令を出した。ところが、翌日から粉ミルクがまったく売れなくなり、小売店は音をあげた。

ほんらい、香港はただの貿易中継地に過ぎず、粉ミルクを生産しているわけではない。買う人が増えるなら、むしろ商機と捉えるべきだ。輸入を増やせば、その分、香港経済が潤うことになる。産業転換期に差し掛かった香港にとって、絶好のチャンスなのに、大陸人を差別する感情に押し流れて、自らを苦境に追い込んでいる。

観光客の増加は片方だけに利益をもたらすものではない。爆買いは日本や韓国の経済に貢献したのはまちがいないが、一方、中国人が違う文化を知り、隣国の人々と身近に接することができた。日本理解を促進するだけでなく、彼らが発信したことは中国社会や経済を変えつつある。日本で電子炊飯器と水洗便所が爆発的に売れたとき、中国企業の経営者たちは大きな衝撃を受け、品質向上の大切さを思い知らされた。また、日本のサービスのよさも、中国の消費者たちを介して、サービスの改善に役立った。

戦後日本社会では理性的で、見識のあるオピニオンがつねに主流を占めていた。それが平和国家作りを成功させた秘訣であり、また、世界から尊敬される理由である。人を尊敬してはじめて尊敬される。これからもそのことを世界に模範を示してほしい。

外国人観光客　対応準備を

連休の後半に広島方面に旅行をしたとき、厳島神社の人出を見て、仰天した。入口から大鳥居のあたりまで観光客がひっきりなしで、初詣の明治神宮に匹敵する混雑ぶりだ。九割以上は日本人で、外国人はわずかしかいない。

政府は訪日観光客拡大に向けた環境整備を策定し、二〇二〇年には四〇〇〇万人の来日を目標にしている。そのためには、四つの具体策が打ち出されている。無料公衆無線ＬＡＮ環境整備を促進し、多言語音声翻訳対応を拡充する。スマホ連携で個別最適情報を入手しやすくし、日本の魅力を継続的に海外発信して、日本の食品輸出額の増加を図る。いずれも必要な対策であるが、肝心なことは一つ見落とされている。観光客受入のためのインフラ整備である。

観光資源の利用には限界がある。五年前にゼミ生と一緒に北京に卒業旅行をした。当時の中国では国内旅行がまだ主流で、各地からの団体観光客でごった返している。あのだだっ広い故宮でさえ、人でいっぱいであった。そのため、団体客を引率するガイドは説明もそこそこに、いそいそとツアー客を連れ出すしかない。

景勝地の観光はともかく、日本の温泉文化には独特の魅力がある。露天風呂でゆっくり時間を過ごし、夕食時は豪華な料理が食卓に並べられる。旅館の従業員は客を一人一人送迎し、サービスは至れり尽くせりである。しかし、そうしたビジネスモデルは少人数を前提にしており、通常、大規模な団体客を想定していない。温泉地の一日の収容人数には上限があり、現在、休日になると、国内の観光客だけでも予約がいっぱいになっている。

ＪＴＢ広報室の発表によると、二〇一六年日本国内旅行人数の予想は二億九三六〇万人で、前年に比べ〇・七パーセント増、海外旅行人数の予想は一六二〇万人で、前年に比べ〇・三パーセント増になるという。

では、お隣の中国はどうなのか。中国旅遊研究院が発表した「二〇一五年度中国海外旅行発展報告」によると、二〇一四年度の中国人海外旅行人数は一億七百万人に達しており、前の年に比べて一九・四九パーセント増えたという。中国の海外旅行ブームはまだ始まったばかりで、今後さらに拡大するだろうと予測されている。

これからどこまで伸びるだろうか。日本を基準にしてシミュレーションしてみよう。総務省統計局によると、平成二十六年の日本人口は一億二七一一万人。年間海外旅行者数の人口比はおよそ一二・七パーセントになる。二〇一五年の中国総人口は十三億七四六二万人で、同じ人口比で計算すると、年間一億七五一九万人が海外旅行することになる。景気がよければ、軽く二億人を上回るであろう。それはだいたい一月下旬か二月の旧正月、五月はじめのゴールデン・ウィーク、十月の建国記念日の三つの大型連休に集中している。単純計算すると、大型連休中に約六〇〇〇万人が海外に出ることになる。

　山形県環境エネルギー部みどり自然課が二〇一四年に発表した「やまがたの温泉二〇一三」によると、山形の温泉数は合計四二二箇所で、宿泊施設数は三四三あるという。宿泊定員は年間三万二三七五人にのぼる。かりに中国の海外旅行者の一万分の一が山形に来るだけでも、上山温泉や肘折温泉は芋煮会の鍋の中のようになるであろう。

　訪日外国人観光客の拡大は、いってみればホームパーティの人数を増やすようなものである。電話の使い方を便利にしたり、通訳を呼んで来たりするだけでは十分ではない。重要なのはリビングルームや台所を思いっ切り広くすることであろう。観光業も同じで、施設の増設とサービス体制の整備や人手の確保が肝要だ。むやみやたら数字目標だけを設定しても、現場が混乱するだけである。

　観光客の増加はメリットもあれば、デメリットもある。いまは京都あたりに集中しているが、観光地として豊富な経験を持つ京都でさえ、繁忙期はすでに手一杯の状態である。そうでなくても、違法駐車や交通渋滞などの問題が起きている。訪日外国人観光客の人数がいまの倍になると、何が起きるか、およそ察しが付くであろう。国だけでなく、地方でもいまから準備を整えないと、深刻な事態になりかねない。一日も早く真剣に対策を考えてほしい。

隣国を知る専門家を育てる

大学教育の現場にいると、意外なところから世の中の動きが見えてくることがある。その一つは第二外国語の履修者数の変動である。六〇年代のはじめ、ロシア語ブームが一時的にあったが、戦後は一貫してフランス語かドイツ語が上位であった。八〇年代に入ると、中国語の履修者が急速に増え始め、九〇年代にはピークに達した。二〇〇五年、小泉元首相の靖国神社参拝が引き金になって、中国の各地でデモが起きた。すると、翌年から中国語履修者は激減した。尖閣列島の国有化をめぐる日中対立の後も同じ現象がくり返された。

近年、日中関係はさらに冷え込み、それに伴い、中国研究の大学院も入学希望者が減少した。一部のトップ大学では次世代の専門家が育たないのでは、と危惧する声も聞こえている。

中国の台頭をどう受け止めるかは人によって考え方がさまざまだ。しかし、研究者のなり手もいなくなれば大問題だ。何しろ日本は空気の国である。いまは「中国嫌い」という空気にすっぽり覆われている。それは仕方のないことにしても、経済の面において日本と中国のあいだに緊密なつながりがあるのは紛れのない事実だ。無視するふりをしていては、日本にとって何の利益にもならない。ましてや、その国を研究しようとする人がいなくなれば、大変なことになる。

日本政府は対米関係を重視し、アメリカに歩調を合わせることは最優先事項としている。そのアメリカはどうなのか。

アメリカのシカゴ・グローバル・アフェアズ委員会が二〇一五年に実施したアンケート調査によると、米中関係が「重要」だと思っているアメリカ人は五五パーセントで、三三パーセントの「比較的重要」とあわせて八八パーセントに達している。これは日米関係の八八パーセント（それぞれ五二パーセントと三六パーセント）と同じ数字で、韓国の八三パーセント（四一パーセント、四二パーセント）やインドの八二パーセント（三五パーセント、四七パーセント）を上回っている。昨年から南シナ海をめぐって、米中関係がぎくしゃくしているという印象があるが、複数のアンケート調査を見ると、必ずしも日本のメディアが報道したのと同じではない。

いま米中関係がかつてないほど深い相互依存の関係になっている。中国税関の統計によると、二〇一四年の米中貿易総額は五五〇〇億米ドルにのぼったという。米国での直接投資も急拡大しており、中国企業による米国内での投資対象地域はすでに四十五州に及んでいる。米国も中国市場を重視しており、先日、上海ディスニーが開園されたとき、オバマ大統領が祝辞を送ったのはその現れだ。

民間交流も盛んだ。昨年アメリカにいる中国人留学生は五十万人を超えており、一方、中国でのアメリカ人留学生は二十二万人に達している。多くの中学校や高校では中国語を教えている。

日中の経済関係はどうなのか。財務省の貿易統計によると、日本の貿易相手国の第一位は中国で、二〇一五年の対中貿易は全体の貿易額の二一・二パーセントを占めており、二位のアメリカ一五・一パーセントを大きくリードしている。二〇〇七年、中国がアメリカに取って代わってから、すでに連続九年第一位の座を占めている。

しかし、民間の動きを見ると、不均衡が目立っている。日本学生支援機構の調査によると、二〇一五年五月現在、日本で勉強している中国人留学生は九万四一一一人に達し、外国人留学生のうちトップを占めている。それに対し、二〇一三年、中国で勉強している日本人留学生は一万七二二六人で、前者の二割にも達していない（ＯＥＣＤの統計）。

観光の面でも同じである。二〇一五年、中国からの訪日観光客は四九九万三千人にのぼっており、前の年に比べて、一〇七パーセント増えている。それにたいし、二〇一四年、日本から中国への観光者数は二一七万七千人にとどまっている（中国国家観光局の統計）。

アメリカの日本研究は戦時中に始まったことはよく知られている。敵だからこそ、徹底的に研究しないといけない。それがアメリカ流の考えである。いまの日本には敵国はないし、また、作るべきでもない。政治の風向きは一時的なものである。二十年も過ぎれば、すっかり変わってしまうであろう。しかし、経済や文化の往来は長きにわたって続くもので、次の時代にも大きな影響を及ぼす。研究者の養成は一朝一夕でできるものではない。一日も早くも対策を取ってほしい。

観光客誘致　先進国に学ぶ

今年の訪日外国人が二〇〇〇万人を超えるのは確実となった。政府は東京オリンピックが開かれる二〇二〇年に倍の四〇〇〇万人達成を目標にしている。東京の人口にほぼ匹敵する数字で、どのようにすれば目的に到達できるのか。

オーストラリアの人口は日本の二割弱しかないが、国際観光収入は日本を上回っている。その理由を知りたくて、夏休み中に初めてオーストラリアを旅した。とはいっても、家族旅行を兼ねているから、あくまでも旅人の目で眺めようとしただけである。八月の上旬にシドニー入りし、ケアンズ、アリス・スプリングス、ウルル・カタジュタ、メルボルン、パースをまわって、ブリスベンから帰国した。

第一印象は、オーストラリアは国を挙げて観光事業に力を入れていることだ。国や地域だけでなく、市民も日常生活のなかでかなり意識している。

早朝にシドニーに着き、時差もないから、午前中から市内観光をはじめた。夕方、湾岸の夜景を見ようと、バスに乗り込んだが、小銭を持ち合わせていない。五〇オーストラリア・ドル札を出すと、運転手はお釣りはないから、いらないという。さすがに払わないわけにはいかないから、着席してから親子でコインを探しまくった。それでも二、三ドル足りず、仕方なく下車時にもう一度五十ドル札を出した。今度もまた、心配せずにと言われた。

何やら得をした気分になったが、飲み物を買おうとしたとき、娘は「あっ、財布を落とした」と慌てだした。どうやらコインを探すとき、そのまま座席に置いたらしい。海外での置き忘れは絶対戻らないと聞かされたから、もはや観念するしかないと思った。四百ドルの現金はともかく、クレジット・カードは二枚も入っている。スーパーでは暗号入力やサインなしでも買い物ができるから、早急に止めないといけない。慌ててカード会社に電話し、一時間以上かけてようやく無効にする手続きを終えた。

夕食のとき、娘がふとスマホを覗いたら、フェイスブックのチャットから知らない人の連絡が入った。「あなたのものと思われる財布を拾ったから、連絡してほしい」とある。半信半疑で返信したら、すぐにまたメッセージが届いた。本人確認をしないといけないから、財布の中身を教えてほしいという。

翌朝、約束の場所に行くと、拾得者は本当に財布を持って現れてきた。見た目は二十代の白人女性で、仕事帰りのバスで偶然財布を拾ったという。お礼を差し上げようと思っても、頑として受け取らず、スターバックスのギフトカードだけをもらって立ち去った。

観光業が国民経済の重要な部分であることを一般市民はよく心得ている。日本では、外国観光客の増加は治安の悪化や都市環境の劣化などとともに語られることが多いが、オーストラリアでは観光客を嫌うような素振りを見せる人はまったく見当たらない。たどたどしい英語で道を聞いても、親切に教えてくれるし、道で地図を見ていると、声を掛けられることもあった。英語以外の言葉を流暢に話して、外国人観光客に道案内するバスの運転手も見かけた。

オーストラリアは移民国家で、ダイバーシティー（多様性）は重要な価値とされている。移民を積極的に受け入れ、人口の四人に一人が外国の生まれだという。パースのホテルでエアコンを修理に来た従業員と雑談したら、何とアメリカの海兵隊として日本に二回も勤務し、現在オーストラリアとアメリカの二重国籍を持っている。

観光業を育成するために、細かいところにも工夫が施されている。メルボルン市の中心部では電車が無料で、シドニーの湾岸沿いには夜になると、オペラハウスなどの建築物はライトアップされている。きれいな夜景のために、オフィスビルは仕事が終わっても点灯したままである。州ごとに法律が違い、シドニーではコアラを抱っこすることが禁止されているが、ケアンズやパースでは認められている。こうした差別化もある程度、観光客の分流を促した。

二〇二〇年まで残り時間はわずか三年余りしかない。外国の観光客を倍増させるにはたんに掛け声だけでなく、観光業先進国に習い、政府と地方、そして一人一人の市民の地道な努力が求められている。

米大統領選後　溝修復が鍵

アメリカ大統領選もあと一週間ほどで結果が明らかになるであろう。これほどスキャンダルが続出し、世間を騒がせた選挙戦はかつてあっただろうか。

このような展開になったのはただの偶然ではない。ポスト工業社会の政治劣化や社会問題が一気に噴出した結果だ。

まず、挙げられるのは大衆と政治エリートとの緊張関係である。共和党はほんらいトランプを公認しないという手もあった。そうしなかったのは、一九九二年の大統領選挙から教訓を汲んだからだといわれている。当時、民主党のビル・クリントンが現職大統領で共和党のブッシュ（父）を下して当選した最大の原因は、第三候補のロス・ペローが一八・八七パーセントの得票を獲得し、共和党の票を奪ったからだ。それが政治のトラウマになり、トランプを候補として公認する結果を招いた。その判断は当然、トランプはいずれ予選で落ちるだろうという甘い予測に基づいたものだ。ところが、蓋を開けてみると、トランプに勝てる候補は一人もいなかった。

その原因は何か。一言でいえば、中産階級の崩壊であろう。多くの学者が指摘したように、アメリカにはもはや中産階級は存在しない。しかし、政治エリートも主流メディアもいまだにその事実を認めようとしない。

振り返れば、戦後、西側諸国は最新技術の開発や産業の発展を通して、繁栄を維持してきた。その背景として、東西冷戦があり、共産主義国家はろくにものを作らなかったことが挙げられる。ところが、ベルリンの壁の崩壊によって、生産能力過剰という、資本主義の持病が再発した。それを解決するには経済のグローバル化しかない。だが、市場は確かに拡大したが、仕事が労働力の安い国に流れるという新たな問題が起きた。米国内の経済格差が拡大し、中間層は次々と仕事を奪われた。こうして中産階級の崩壊は起きるべくして起きた。

エリート統治は中産階級の存在を前提としている。その存在基盤を失えば、「選良」としてのエリートの居場所がなくなるのも当たり前のことだ。ましてやグローバル化の時代に入ると、エリートによる政治統治がいたるところで破綻を見せている。

注目すべきは大衆の反応である。トランプ現象から見られるように、彼らはもはや政治エリートを自分たちの代表として見ていないし、彼らの話も信じなくなった。トランプ人気に対し、民主党だけでなく、共和党の一部の有力者も躍起になって阻もうとしたのはそのためである。

民主党にとってはいうまでもなく、共和党にとっても、トランプの当選は受け入れがたいものだ。なぜなら、不人気のヒラリー候補が大統領に当選したら、共和党にとって四年後の返り咲きはほぼ確実だが、かりにトランプが当選するならば、八年後の二〇二四年を待たなければならない。

トランプ旋風のもう一つの原因として、政治制度の疲労が挙げられる。民主主義は争点となる課題や社会的な対立を解決するためのルールで、制度自体は正義論と直結しない。その前提はすべての社会成員が良識を持っていることだ。しかし、そのことが近年、挑戦を受けていることはヨーロッパの例を見れば明らかだ。歴史を振り返ればわかるように、どのような政治制度も時代の変化とともに変わり、永遠不滅の制度というものはない。想像力を働かせ、新しい状況に適応したデモクラシーを育てなければ、いずれ問題が起きる。民主主義のメッカともいえるアメリカもいまやこの新しい問題に直面している。

今回の米大統領選で誰が勝つかはさほど重要ではない。誰が当選しても、アメリカ社会に大きな亀裂が生じるであろう。多数決による民主主義はゲームのルールとして、これまで多数対少数の結果しか想定されていなかった。賛成と反対が拮抗するという事態については、誰も深く考えなかった。一票でも多いほうが勝つというルールはいまだに有効ではあるが、拮抗する場合の少数派を納得させるのは困難になっている。その意味では、危惧すべきは望まない選挙の結果ではなく、選挙戦がもたらした亀裂をいかに修復するかだ。

誰が当選するにしろ、アメリカはたいへんな明日を迎えるのは間違いない。

不安定な世界　生きるには

トランプ氏のアメリカ大統領当選は、ほとんど予想されていなかっただけに世界に与えた衝撃は大きい。この出来事は評価のいかんにかかわらず、世界史に残る大事件になるであろう。当選の原因についてさまざまな分析が行われたが、日本だけでなく、アメリカでもポピュリズムのせいだとする論調は多い。

ポピュリズムの定義にもよるが、かりに、操作されやすい愚かな大衆が過激な思想に扇動され、誤った意思決定をしたという意味ならば、トランプ氏の当選は決して「ポピュリズム」の一言で片づけられるほど簡単なものではない。

二十世紀終わり頃から起きた世界的な変化として、グローバリズムと情報化の急激な進展を挙げることができる。両者は別々の動きではなく、相互に関連して人類文明を大きく変えた。情報化はたんに通信手段の革命的な進化だけではない。巨大な新産業の登場は欧米や日本などの先進国において、一連の産業構造の変化をもたらした。重厚長大の産業は縮小ないし海外に移転され、そのかわりに電子通信の関連産業は急速に生産力を拡大し、新たな雇用が生み出された。

その過程で日本とアメリカとはまったく違った道をたどった。日本では、従来の企業を存続させたまま、新しい分野の製品の開発と生産に力を入れた。会社ごとの生産モデル転換と製品の絶えざるグレードアップを実現させることで、企業が再生し、雇用も維持された。産業転換がもたらした社会的な衝撃を最小限に抑えることができた。

それに対し、アメリカは違った道をたどった。国土が広い分、半導体やソフトウェアなどのインターネット関連産業はシリコンバレーや東海岸などに新天地を見いだした。先端技術産業はグローバル化の恩恵を受け、企業が所在する地域社会も活性化した。

一方、鉄鋼や炭鉱など国際競争に敗れた旧い産業は旧態依然のまま延命をはかっている。国内生産の規模が縮小し、雇用が減少しただけでなく、ラストベルトに象徴されたように、企業の衰退によって、地域社会も活気が失われた。

このような分断は容易に解決されるものではない。トランプ次期大統領は雇用を国外から国内に戻すと公約したが、実現できるかどうかは、はなはだ疑問である。製造業の海外移転はたんに労働コストの問題だけではない。環境規制や海外市場の開拓など複雑な要因が絡んでいる。ましてやアメリカにも海外市場に依存する大企業がある。旧い産業の構造転換に努めないかぎり、地域の格差はなくならない。

アメリカの社会分断は業種の偏在によるものに止まらない。より深刻なのは人種、宗教、地域、所得などの違いによる社会的対立の先鋭化である。しばらく前から指摘されてきたことだが、何度かの政権交代を経ても問題が改善する兆しは見えてこない。むしろ人種間、地域間、宗教間の亀裂は日ましに深まっている。アメリカは連邦制だから、このまま対立が激化すると、将来、分離独立を求める動きは起きかねない。それは奇想天外の憶測ではない。人種構成の変化や地域格差の拡大などによって、五十年あるいは百年さき、合衆国から離脱する州が現れても不思議ではない。

そうしたことを見据えて、今後の国際情勢をどう捉えればよいか。アメリカが内向きになれば、世界の多極化は不可避的に進むであろう。国際秩序はより不安定になるのかもしれないが、努力次第では、それをプラス方向に変えることもできる。その場合、外交が芸術になり、綱渡りの慎重さが求められる。五年や十年さきではなく、五十年や百年単位で物事を考え、さまざまなシナリオを想定して、多様な対応ができるように備えるべきである。

何よりも重要なのはどの国とも対等な友好親善関係を結ぶことである。当分、日米関係を主軸とすることには変わりはないが、かりに将来、変化が起きても、近隣諸国を含め、すべての国と仲良くさえしていれば、国の方向が大きく誤ることはない。戦争よりは平和、対立よりは融和のほうが長久な繁栄につながる。それは近代史から導き出された教訓で、今後も肝に銘じるべきことである。

空き家利用、翻訳者を支援

旅先のデンマークでちょっとした不思議なことに出会った。知人のメッテ・ホールムさんはアジアのことに詳しいジャーナリストで、テレビにもよく出る評論家である。ただ、アジアとはいっても、中国について記事を書くことが多く、日本のことはまったく扱っていない。

コペンハーゲンに着いた翌朝、事前に連絡を受けたメッテさんは早々と宿泊先のホテルに姿を現した。すらりとした長身で、髪の毛は短く切り上げている。スポーツ選手のように颯爽としていて、どことなくアジア人を思わせるような柔和な風貌も見せている。

今回の北欧の旅は二つの違った目的があった。一つは移民作家の活躍を調べることで、もう一つは北欧における日本文学翻訳についての実地調査だ。

メッテ・ホールムさんは決断が早く、わたしがコペンハーゲンで会いたい人の話を持ち出すと、その場で片っ端から電話を掛け出した。彼女のお蔭で、日本では耳にしたことのない情報をたくさん教えられ、会いたい人ともすぐに連絡が取れた。

日本文学の翻訳事情について聞くと、「メッテ・ホールムさんに聞いたら。日本文学の翻訳家で、彼女ほど日本のよき理解者はほかにいませんよ」と絶賛した。自分の氏名を持ち出したので、

一瞬、何のことやら、よくわからなかった。こちらが戸惑っているのを見て、メッテさんはにこっと笑って、

「ああ、そうそう。こちらには二人のメッテがいるわよ。わたしは中国や東南アジアが専門で、もう一人はもっぱら日本です」

「本当に名前が一緒ですか」

「そうなの。同姓同名です。間違われたこともよくあるわよ」

とメッテさんは苦笑した。

こんな偶然があるのかと仰天したが、何でも二人は互いによく知っているという。

中国のメッテさんは即座に日本のメッテに電話した。

「ぜひお会いしたい」という、日本のメッテさんの言葉に甘えて、お昼に仕事部屋を訪ねることにした。古い街の一角に彼女は画家のクリスティナさんと共同で仕事場を構えている。わたしが訪ねたとき、メッテさんはパソコンの前に座り、右手側に村上春樹『騎士団長殺し』の上巻が、左手側には分厚い日本語の辞書が置かれている。

ほとんど知られていないことだが、デンマークでは日本文学の翻訳者といえば、長いあいだずっとメッテ・ホールムさんの一人だけであった。村上春樹の本はもちろん、ほかの多くの日本語文学作品の翻訳も彼女が手掛けたものだ。最近、彼女の助手だった人がようやく翻訳するようになったという。

その理由もまた意外なものだ。日本では翻訳料も印税という形で支払われるのが普通だが、デンマークでは翻訳料が一時的に支払われるだけだ。しかも、その翻訳料はどうやら非常に安い。

「実質上、時給千円以下ですね」

アルバイトよりも報酬が低いから、翻訳だけをして生計を立てるのは難しい。これでは翻訳者のなり手がいないのも不思議ではない。そんな厳しい条件のもとで、メッテさんは数十年もこつこつと日本文学を翻訳してきたかと思うと、頭が下がる思いであった。

「日本には何かしてほしいことはありますか」との質問をすると、海外にいると、日本語能力はどうしても低下しがちなので、もし十年ほどのあいだに一年間ぐらい日本に住む機会があればありがたい、とメッテさんが言う。そういえば、ヨーロッパの多くの国は毎年、海外の作家を数人招待して、山のなかの別荘に一カ月から一年間滞在させて、自由に書かせるという制度がある。それを利用して作品を書く作家は少なくない。しかし、日本には同様の支援制度はない。

日本ではいま空き家が問題になっており、廃墟と化した別荘地もあるらしい。そうした空き家を一時的に借り上げ、海外の日本文学翻訳者に無料で貸したら、一石二鳥であろう。国の文化交流事業にすればそれに越したことはないが、もし国が重い腰を上げなければ、地方自治体が率先してやってみてもいい。企業の協力を得られれば、さらにやりやすい。空き家問題の解決になるだけでなく、海外の日本文学翻訳者の支援にもなるであろう。

それほど予算がかからないはずなので、関係方面にぜひ検討してほしい。

多様な情報から真相把握

四月中旬、クロアチアをはじめ、旧ユーゴスラビア諸国をはじめて訪ねた。コソボが一九九〇年七月に独立を宣言し、それをきっかけに旧ユーゴスラビアが内戦状態に陥り、やがて連邦が解体したのは周知の通りである。紛争が終結したのは二〇〇〇年だから、それ以来、二十年ほどの歳月が流れた。いま振り返って、現地の人たちはかつての民族独立と一連の紛争をどう思っているか。自分の目と耳で確かめたかった。

現地に入って、まず、痛感したのは壁だらけになったことだ。何しろ旧ユーゴの国土面積は日本の七割ほどしかないのに、いまや六つの国に分かれていた。もっとも大きいセルビアでも北海道と同じぐらいの広さで、モンテネグロにいたっては福島県ほどの面積しかない。しかも、歴史的な原因で、国境線が入り組んでおり、移動する場合、国境を越えなければならない。たとえば、クロアチアのドゥブロヴニクからモンテネグロのコトルという町まで、距離的には近いが、ボスニアのネウムを経由するので、往復四回も出入国の手続きをしないといけない。最近、移民の流入に警戒を強めているためか、四月から国境での検査がにわかに厳しくなった。国境検問所の前ではいつも長い車の行列ができており、入国審査で二時間以上待たされることもざらにある。

スロベニアで聞いた話は深く印象に残った。オーストリア、イタリアの国境近くにブレット湖という湖がある。「アルプスの瞳」と称された湖のすぐそばには ブレット城という十一世紀に建てられたお城がある。そのお城で働いているトマーシュさんは一九八〇年の生まれで、代々このお城のために蝶つがいなど鉄の部品を作っていた。鍛冶屋のお父さんの後を継いでここで働くことになったが、いまは鍛冶屋ではなく、お城の管理に携わっていた。そのトマーシュさんに話を聞くことができた。

「ユーゴスラビアの時代といまと比べて、どちらがいいと思いますか」

もっとも知りたいことを単刀直入に聞いてみると、間髪入れずに「旧ユーゴスラビアの時代がよかったと思います」という答えが返ってきた。チトー元大統領が亡くなったとき、トマーシュさんはまだ生まれてまもない頃だったから、旧ユーゴスラビアの時代を直接は知らない。しかし、両親や経験者から話を聞いたし、自分でもそれなりに調べてみた。両者を比べると、このような結論に達したという。

でも、社会主義時代には自由はなかったでしょう、との質問をぶつけると、トマーシュさんは「そんなことはまったくない」と言下に否定した。海外に行くことができるし、何も不自由はなかった。スターリン時代のソ連と全然違うよ、と彼は笑った。

このような答えが返ってくるとはまったく予想しなかったので、あえて不躾な質問をした。

「チトー元大統領は独裁者だと思いますか、それともいい指導者だと思いますか」

「独裁者だとはまったく思いません。素晴らしい指導者でしたよ」

以前のような統一した国と、いまのようにそれぞれが独立する国を選べるなら、あなたはどちらを選ぶかと聞くと、彼は肩をすくめて、

「難しい質問ですね。指導者の資質にもよりますが、チトー大統領はお母さんのように意見の異なる五、六人の兄弟をうまく一つの家庭にまとめたが、そのような器を持っている政治家はもういない」と嘆いた。

トマーシュの話はかなり衝撃的なものだ。これまでの新聞や雑誌で知ったことと大きくかけ離れていたから、真相を確かめるために、さまざまな人に話を聞いてみた。大学生もいれば、年金生活者もいる。また、中学校で英語を教えながら、通訳のアルバイトをしている女性もいた。それぞれの意見には微妙な違いがあるものの、独立した後のほうがよかったという人には一人も出会わなかった。

現代の世界はますます複雑になっているが、多くの場合、わたしたちはメディアの報道を通してしか情報を得られていない。しかし、報道されているのは必ずしもすべて真実とは限らない。テレビで流されている「事実」を過信せず、自ら多様な情報源にアクセスし、メディア・リテラシーを高めることは今後いっそう求められている。

手厚い北欧の文学支援

日本文学が世界で読まれているという話はときどき耳にする。だが、国や地域によっては、実態が必ずしも明らかではない。北米や西欧における日本文学の翻訳についてはメディアでもときおり報道されている。しかし、同じ欧州でも、たとえば北欧のことはほとんど知られていない。先日、現地で関係者を訪ねる機会があって、長いあいだの疑問が氷解した。

オスロの王宮のすぐ近くに「文学の家」という公共施設がある。非営利目的の財団が運営しているもので、文学を促進するために作られている。講堂や多目的会議室のほか、作家や海外の文化人のための宿泊施設も設けられており、その一階にはユニークな本を揃えた本屋と、広々としたカフェがある。初夏のある午後、そのしゃれたカフェでイカ・カミンカさんに会った。

谷崎潤一郎『細雪』のノルウェー語訳者として知られるイカ・カミンカさんは流暢な日本語を操っており、わたしが約束の時間に遅れたにもかかわらず、日本人を思わせるような物腰と笑顔で迎えてくれた。

「外国文学の翻訳に携わる者にとってスカンジナビア半島でもノルウェーは恵まれた国だと思います」

ノルウェーの翻訳・出版事情を聞くと、イカ・カミンカさんは言下にそう断言した。

文化事業を管轄するノルウェーの省庁は文学創作を援助するプロジェクトを立ち上げ、小説や詩など文学関係の新刊本を買い上げて、各地の公立図書館に寄贈している。しかも、購入する冊数は何と七百部にも上る。

「これは非常に賢いやりかたですね」

と、イカ・カミンカさんがしきりに感心する。この制度のおかげで、小説家は職業として成り立つし、出版社も赤字を出さずに安心して文学書を出すことができる。

そうするには理由があった。ノルウェーは若い国で、建国の歴史はまだ百二十年ほどしかない。文学の伝統はあまりないから、行政が手をこまねいて待っていると、何も変わらない。

公的な助成はやはり効果がてきめんである。ノルウェーでは一冊の本の値段は約ビール二杯分といわれている。少量出版だと、どうしても単価を吊り上げることになる。行政による買上げのおかげで、翻訳書でも初版二千冊刷られている。ノルウェーはデンマークより人口が若干少ないにもかかわらず、日本文学翻訳者は五、六人もいるのもそのためであろう。

文化事業に対する政府の手厚い支援はノルウェーに止まらない。

「スウェーデンは作家に給費しています」

この驚くべき情報を教えてくれたのはスウェーデンのユキコ・デューク・バーリマンさん。給費とはいっても、生活費程度のものである。それでも、日々の暮らしを心配せずに創作に専念できるから、専業作家にとって心強い支援になる。バーリマンさんは村上春樹の小説を多数翻訳したただけでなく、テレビで番組の司会や書評活動や雑誌の編集などの仕事にも携わっている。

「スウェーデンの作家はリアリズム小説か、推理小説を書く人が多い。ホラー小説は米国からの翻訳を除いて、あまり読まれていません」

桐野夏生の『アウト』や山田太一の作品は評判が上々だが、デンマークと違って、東野圭吾の小説は訳されていない。そのかわりに、柳美里『フルハウス』は反響が非常によかったという。

「スウェーデンでも家族がうまくいかないことが多いからでしょう」

政府による文化事業の支援は翻訳者だけでなく、出版社にとっても良書を読者に届ける一助となる。マイピン・チェンはスウェーデンで文学専門の出版社を経営しているが、本業は作家であり、翻訳者でもある。忙しい創作や翻訳のかたわら、編集や出版業務を一人でこなしている。いい書き手を見いだし、良質の文学書を出すためには、自ら出版業に乗り出すしかないと、マイピンさんはいう。そのため、スウェーデンでは文学創作も外国文学の翻訳も活気に溢れている。

日本でも文学を志す若者が多くいるが、小説の創作だけで生計を立てるのは難しい。海外でも知られている超人気作家がいる一方、売れない文学者も少なくない。北欧は社会福祉がよいかわりに税金も高いが、書籍には消費税がかからない。日本もせめて精神の糧である書籍は消費税免税にしてほしいものである。

独裁国に厳しく対処を

サウジアラビア人の記者、ジャマル・カショギ氏がトルコ人女性との結婚手続きをするため、二〇一八年十月二日、トルコのサウジ総領事館に入ったきり、行方不明になった。その一時間前、特別チャーター機で到着した十五人のサウジ人が入館し、二時間後に複数の自動車が領事館から出ていったことが目撃された。翌日、トルコ大統領府はカショギ氏が領事館から出ていないと発表し、四日後の六日、カショギ氏が総領事館内で殺害された可能性があるとの見解を示した。サウジ側は当初、否定したが、その後、証拠となる映像や証言が続出したため、二十日になって、ようやくカショギ氏が領事館内で死亡したと認めた。検察と外交当局の説明によると、カショギ氏は総領事館内で複数の人物と口論になり、なぐりあいの喧嘩の結果、死亡したという。事件に関連する十八人のサウジ人は拘束され、取り調べを受けている。捜査の全容が判明しだい、内容を公表するとも約束した。

事実は小説より奇なりという言葉を絵に描いたような、衝撃的な事件である。日本では当初さほど注目されていなかったが、この事件は国際政治のみならず、今後、世界の多くの国の内政にも影響を及ぼすであろう。

二十世紀の九〇年代頃から世界経済は国境を越えて拡大し、各国の産業は大きな成長を遂げた。自由貿易の拡大により、先進国から発展途上国にいたるまで多くの国々が恩恵を受けた。とりわけアジアの国々は社会が発展し、市民の生活水準が向上した。その反面、貧富の差が拡大し、国家内部の分断や対立が激しさを増した。

その結果、グローバリゼーションのために、自分たちが置き去りにされた、と感じた人々は日々増えるようになった。「アメリカ・ファースト」のスローガンに多くのアメリカ人が共鳴したのも、ヨーロッパではポピュリズムやナショナリズムが台頭し、人種主義を唱える右翼政党が支持を拡大しているのもそのためである。

自由貿易を堅持するか、それとも保護主義に後戻りをするか。一見、それが当面、国際社会の争点のようだが、サウジ疑惑により、もう一つの重要な問題が表面化した。

現在、世界経済のネットワークが緊密になり、科学技術が日進月歩の発展を遂げているのに対し、多くの国では国内政治は大幅に遅れており、時代の歩みにはまったくついていけない。

人類の文明史が示したように、経済の変化は社会の変動をもたらすだけでなく、最終的には必ず政治体制を変えることになる。新しい経済にふさわしい政治が生き残り、時代遅れの旧い体制はいずれ淘汰されるであろう。

ほんらい、グローバリゼーションを提唱し、強力に推し進めたアメリカが次のステップとして、共通する市場だけでなく、共通する制度作りやルール作りを先導すべきであった。ところが、二

○一六年に当選したトランプ大統領は孤立主義の道を選んだ。このような状況のもとで、今後、EUや日本の役割は一層大きくなるであろう。

当面、最大の課題は、経済問題をいかに政治問題と結び付けて対処するかである。まず、取り組むべきは、対外的に自由貿易を主張しながら、国内において独裁政治を行う国に対して厳しく対処することである。

良心的なジャーナリストや弁護士を迫害したり、政府を批判する知識人を公職追放したりする国は、世界にまだ多くある。それらの国々に対し、自由貿易を主張するなら、人権無視や政治独裁をやめるべきだ、という強いメッセージを発信する必要がある。

彼らは反論として、「内政不干渉」という陳腐な理由を持ち出すであろう。かりに戦後の一時期において、「内政不干渉」が植民地から独立した国々を守る役割を果たしたとするならば、二十一世紀の今日において、その歴史的使命はもはや終わっている。なぜなら、市場の統合によって、経済的にも互いに分けられなくなっているからだ。世界中から企業が進出し、地元の産業に外国の資本がさまざまな形で参入している国においては、純粋の内政は存在しないし、ましてや「内政不干渉」はもはや錦の御旗でない。

今後、世界的な自由貿易の枠組みを作る時、参加国の政治改革を必須条項として入れるべきである。もし、独裁国家が頑なに拒否し、人権無視の行動を続けるならば、彼らを自由貿易のシステムから締め出すしかない。

混迷のいまこそ戦争を防げ

毎年一月の直言は新年を展望する内容が多いが、二〇一九年は近年にないほど見通しの難しい年だ。世界経済は見えない影におびえており、国際政治にも各国の国内政治にも暗雲が垂れこめている。

新年早々その兆候が現れた。ヨーロッパでは、一月十五日夜(日本時間十六日早朝)イギリス議会はEU離脱案を採決し、四三二票対二〇二票の大差で否決された。メイ首相の指導力は低下し、イギリスのEU離脱は混迷の度を深めた。

フランスでは二〇一八年十一月二十四日に起きた「黄色いベスト運動」はクリスマスと新年のあいだに、いったん規模が収縮したが、年が明けてから再び勢いを取り戻し、暴徒化したデモ隊は警察と衝突をくり返している。

東ヨーロッパでも政治情勢が混沌としている。難民移民問題ではEUと対立する政権が多く、反EUの極右政党が支持を拡大している。

アメリカではメキシコとの国境の壁建設予算を巡り、政府機関が十二月二十二日から閉鎖され、政府機能が一部停止している。一月二十五日、一時解除されたが、先行きはまったく不透明である。

もっとも気がかりなのは何といっても米中貿易摩擦であろう。かりに三月一日に妥協案がまとまらない場合、世界経済は大きな打撃を受けるにちがいない。この対立は日本にとっても決して対岸の火事ではない。世界生産のサプライチェーンのなかで重要な位置を占める日本は中国向けに多くの部品を輸出しており、貿易戦争の拡大により必然的に日本経済に冷や水を浴びせる結果になる。

いまの世界はさまざまな面において対立や分断の深刻化に直面している。国際関係においては、自国第一主義が猛威を振るい、「国益」や「核心利益」といった言葉は外交の場で安易に語られており、自国利益の追求はときには無責任なまでに強く主張されている。

各国の国内状況に目を転じると、社会の対立は深刻の度を増している。アメリカのトランプ支持派と反対派、イギリスのEU離脱派と残留派、フランスやドイツでの移民容認派と移民排斥派、いずれもたがいに言葉も通じあわないほど、主張や立場が完全に対立している。

このような状況のもとで、気を付けるべきことは何か。

何よりも重要なのは、戦争防止と突発的な軍事衝突の回避であろう。世界経済がサプライチェーンによって緊密につながっているかぎり、共倒れを危惧して、話し合いによって衝突を回避しようとする理性の力が働く。だが、国家間の分断が深刻化すると、武力によって問題を解決するという衝動に駆られやすい。超大国は強い軍事力で物をいわせようとしており、ライバル国たちも対抗心をあらわにしている。とりわけ、独裁国家は議会などの政治的な制約を受けず、戦争の決定に市民の意思が関与する余地はない。戦争が政治の道具にされる危険性が高く、独裁者の気まぐれな個人意志は取り返しのつかない判断に導きされやすい。

第一世界大戦が起きるまえに、誰も戦争が起きるとは予想していなかった。開戦の後も、戦争がすぐに終わるだろうと楽観視する人が多い。ましてや、産業の進歩で戦争の被害は予想をはるかに超えて拡大したと誰も想像もしなかった。

戦争の危険に対する認識不足の点において、いまの世界も同じ危険に直面している。冷戦時代は米ソの政府間だけでなく、民間でも危機意識を共有していた。だが、いまその意識はかなり稀薄になっている。

ＩＴやＡＩ技術の急速な進歩によって、今日の兵器の威力はもはや朝鮮戦争やベトナム戦争の頃の比ではない。ＡＩ技術が戦闘員の死傷を減らす効果を上げれば、戦争への衝動はさらに歯止めが効かなくなるであろう。

戦端がいったん開かれたら、勝利が唯一の目的になり、戦争の拡大は避けられない。かりに核保有国を巻き込む戦争が起きたら、地球の存続さえ危ぶまれることになる。

危機のときこそ政治が芸術になり、政治決断には薄氷を踏むが如きの慎重さが求められる。そして、一人一人の市民が声を大にして、あらゆる戦争に反対する意思を表明するだけでなく、自らの手で戦争を未然に防ぐよう、行動を起こす必要がある。唯一の核の被害国として、戦争防止を訴えることは世界に対する最大の貢献である。

核拡散　防止の努力を

二〇一九年の九月に入ってから、物騒なニュースが相次いで飛び込んできた。六日の新聞報道によると、トルコのエルドアン大統領は四日、トルコ中部での式典で演説し、将来の核保有の可能性を示唆した。

そのわずか五日後の九日、サウジアラビアのエネルギー相アフドルアジズは原発計画のためウラン濃縮を行いたいと述べた。核兵器の開発にもつながる技術であるだけに、対立するイランをはじめ、周辺国も対抗措置を取りかねない。

同じ九日、イスラエルのネタニヤフ首相はイラン中部のアバデに核開発のための新施設があると非難し、イラン外相がそれを否定するという一幕もあった。

イスラム世界に起きた一連の騒動は偶然ではない。関係国が核保有に対し、高い関心を示していることの証であろう。

日本のメディアはさほど関心を示していないようだが、五十年、百年さきのことを考えると、決して見逃してはならない危険なサインである。もともと、中東は世界の火薬庫といわれるほど、対立や衝突が多い。核開発や核保有は地域のパワーバランスを揺るがすだけでなく、世界平和にとっても大きな脅威になるであろう。

核兵器は大量破壊兵器として、保有の意義は歴史のなかで変化してきた。当初、実戦力として期待されたが、米ソ冷戦時代には戦略的な抑止力と見なされていた。しかし、今日、抑止力としての効果はかなり薄れた、と広く認識されるようになった。

だが、核兵器が敵対国を威嚇する道具である以上、権力者の垂涎の的となるのはいうまでもない。厄介なことに、今日、核兵器を作るのは技術的にそれほど難しくない。一九七六年、米プリンストン大学の三年生ジョン・A・フィリップスは「原子爆弾の自家製造法」をテーマにした論文を提出して話題になり、また、二〇一三年、アメリカの十八歳の少年が十万世帯分に相当する発電量の小型原子炉を考案して、一躍有名になった。核兵器はそれほど「身近」な技術となったのである。

それでも、核兵器の保有国がいまだに限られているのは核拡散防止条約の制約があるからだ。一九六八年に調印され、二年後に発効したこの条約は、米ロをはじめ五つの国の核保有を認めた上、それ以外の国の核保有を禁止している。核大国の特権を固定化し、核を保有しない国々にとって不平等であるという一面があるのは否めない。一方、核の拡散を抑制するのに、確実な効果を発揮したのもまた事実である。というのは、かりに核開発を企てようとする国があれば、国際条約の違反を理由に厳しい経済制裁が課されるからだ。イランがトランプ政権の圧力に激しく反発しながらも、ウラン濃縮を五パーセントに据え置いたのはそのためだし、北朝鮮は核開発を強行するつけとして、経済が破綻寸前まで追い込まれているのは周知の通りである。核開発の代償が大きいから、核保有に野心的な国も踏みとどまらざるをえない。

だが、トランプがアメリカ大統領に当選してから、世界の状況は大きく変化し、欧米の各国でポピュリズムの嵐が吹きすさぶようになった。イギリスはＥＵからの合意なき離脱をめぐっていまも揉めており、ドイツやフランスやイタリアなど欧州の主要国ではポピュリズムの政党は確実に勢力を拡大している。北朝鮮の短距離ミサイル開発に対するトランプ大統領の姿勢から見られるように、内向き志向の政治は必然的に対外的な無関心を招く。もし、核拡散に導く危険な芽をいま摘まないと、いずれ取り返しのつかない破局が訪れるであろう。

日本は世界で唯一核兵器の攻撃を受けた国であり、原子爆弾の残虐さと恐ろしさを巨大な民間人の犠牲を払って体験した。国際社会において、核の軍拡を阻止し、核拡散を未然に防止するよう、官民ともに努力する責任があり、また、どの国にもまして大義名分を持っている。中東地域では日本に対し、好意的な国が多く、日本の意見に耳を傾ける政治家も少なくない。その優位を利用すれば、日本の影響力を十分に発揮することができるのであろう。

核戦争には勝者はいない。ましてや小国が核を保有すると、自滅の道を歩むことになる。そのことをすべての国の指導者に理解させ、核なき世界という目標に近付くために、外交当局にはもっと辛抱強く努力してほしい。

三　不安定という経験

家族との親密性が変容

家族間のトラブルをめぐる事件は多発している。親子の対立、夫婦のすれ違い、介護疲れ、児童虐待。原因はさまざまだが、いずれも家族に対する憎悪が臨界に達したところに特徴がある。肉親に凶器を差し向け、愛おしい者の命を奪うことは、第三者の立場から見ると、悲しくも嘆かわしい。

一方、心のなかで同情している人もいるのかもしれない。そこまでいかなくても家族のことで思い悩んでいる人はいるはずである。げんに、家族関係の美化を批判し、家族は「病」だと論ずる本がベストセラーになっている。かつて家族は「最後の砦」と称され、大多数の人たちが家族の支えが生きる力だと思っていた。いまや家族が当てにならないばかりか、そこから逃げ出そうとする人たちもいる。一体、家庭という閉鎖空間のなかで何が起きているのか。

個人の権利意識の拡張、家族の孤立化やソーシャル・ネットワーキング・サービスの発達など、理由はいくつも挙げられるであろう。しかし、もっとも根幹的な要因はやはり親密性の変容ではないか。

先日、ある学生が書いたエッセイを読んで、はっと気づいた。その文章ではお姉さんとインド旅行のことが書かれている。日本とはまるっきり違う環境にいきなり放り出されたのだから、ストレスがたまる一方である。観光地でもホテルでも、些細なことで二人は大喧嘩した。しかし、やはり姉妹だから、翌朝起きると、けろっとして、前日と同じように笑ったり話し合ったりしたという。「もし、姉ではなく、親友と一緒だったら、友情が壊れるか、私が壊れるかのどちらかであろう」と本人はしみじみと述懐したが、筆者は「親友」の意味の変化に驚かされた。

ひと昔前、無二の親友といえば、秘密を打ち明けられる相手であり、喧嘩してもすぐに仲直りするほど互いに信じ合う関係を指していた。しかし、いつの間にか、友情の意味が変わり、衝突しないことが最優先事項になっている。若い人はとにかく「よい仲」を維持するために腐心し、なるべく友達に不愉快にならないように振る舞おうとする。

現代の若者は上品になったと誰かが言ったが、教育現場にいると、その意味はよくわかる。しかし、人間は集団で生活している以上、誰でも心置きなく、内心をさらけ出せる相手を必要とする。親友にはそのことが求められないから、家族が心の最後のオアシスになる。家族なら、つらく当たっても許してくれるし、喧嘩しても後に残らないと思われていた。

だが、いつの間にか、家族との親密性も変容した。夫婦関係や親子関係が礼儀正しいものになり、互いに傷付けないように小心翼々とする。肉親とはいえ、究極的には他人である。自己と他者のあいだには親密さもあれば、衝突もまた不可避である。というより、親密性も衝突も家族関係の潤滑油である。いい面だけを強調する関係性は内面に立ち入らないところに虚偽が生じる。

反対に、仲のいい夫婦、親子、兄弟は多少衝突があってもすぐに仲直りをし、決して根に持つことはしない。むしろ、誤解が解けて、前よりもいっそう親密になるであろう。

「一度でも喧嘩したら（人間関係は）もう終わり」という言葉はときどき耳にする。和を尊ぶ日本文化の特質だと勘違いされているが、もちろんそれはただの神話に過ぎない。江戸時代はいうに及ばず、九〇年代の初頭にもまだそのような「常識」はなかった。人間には個性があるかぎり、意見の相違や対立があるのは当たり前のことである。大切なのは摩擦を恐れるのではなく、わだかまりがあったら、率直に打ち明けることである。一日二十四時間も一緒にいると、ちょっとした衝突は避けられない。節度のある衝突は生きる力であり、不満を解消する生活の知恵ともいえる。逆に、対立を恐れてじっと耐えていると、怨嗟は雪のように積もり、いつかは大爆発につながりかねない。多少衝突があっても、寛容な精神で互いに許し合えば、どのような対立も解消できる。

家族が病ではなく、心が病んでいるのが問題である。

法を整備して子供を守る

大阪寝屋川市で起きた中一生徒の殺害事件は全国に大きな衝撃を与えている。マスコミは犯人像の究明に熱を挙げているが、事件をいかに未然に防ぐかという視点は欠落している。このままだと、時間が経つと事件が忘れられてしまい、しばらく経ってからまた似たような事件が起きかねない。悲劇をくり返さないためには、どうすればよいか。

むろん、未成年者が被害に遭う事件が起きると、事件防止を呼び掛ける識者はいる。ただ、ほとんどの場合、現代社会の人間関係を改善し、地域社会の連携を増強するよう、提言するにとどまっている。

地域共同体で生活している人たちが互いに関心を持ち、周囲に目を光らせ、未成年者を犯罪から守る努力は確かに必要である。しかし、それだけでは十分ではない。子供を守るためには、保護者の教育、子育て支援や法律の健全化が求められる。

生物学的に親になるのは自然にできることだが、社会学的な意味での親になるには学習が必要だ。車の免許を取得するには、講習を受けなければならない。親になるのも、また同じである。

結婚したら、男も女も夫や妻の一年生である。よりよい結婚生活を営むには衛生知識、家計の知識だけでなく、家庭や子供を養育する義務、家庭内暴力の定義と関連する法律、助けを求める方法などについて知る必要がある。結婚届を受理する前に講習を受けるのはもっとも簡単な方法である。

現在、妊娠したら、市区町村の窓口で母子健康手帳をもらえるが、その場合も夫婦ともに講習を受講したほうが子育てに役立つであろう。育児で困ることがあったら、どこで誰と相談したらいいか、親としてどのようなことをすると、法的に罰せられるかは、必ずしも周知されていない。本人が「しつけ」と思っている行為のなかに、「児童虐待」に相当するものは少なくない。ほんらい、子供に手を上げるのは犯罪である。しかし、ほとんどの当事者は必ずしもそのような認識を持たない。情報不足、知識不足も理由の一つであろう。

児童は社会の共有財産であり、親の所有物ではない。この観念はまず共有されなければならない。どのようなことをしていいか、何をしてはいけないのか、法律知識としてきちんと知っておく必要がある。子供が成長すると同じように、親も子育てのなかで勉強し、成長する。哺乳の方法、離乳食の作り方などについては多くの情報があり、母親たちも熱心に参考にしている。それに比べて、未成年者の親にとって道徳的、法的な責任とは何かについて、よく心得ている人は果たしてどれほどいるのだろうか。

ひとり親家庭に対し、公的な援助やボランティアによる支援をさらに充実させることも不可欠である。ただ、関連の情報を周知徹底しなければ、効果が半減してしまうであろう。実際、多くの自治体にひとり親家庭支援センターがあることは必ずしも知られていない。

もっとも重要なのは法の整備である。アメリカには「児童虐待防止及び対処措置」という連邦法がある。何度もの修正があり、いまや五〇頁にも及ぶ膨大なものになっている。虐待はいうに及ばず、「育児放置」も処罰の対象になる。

未成年者を一人で車に残すことや、お使いをさせることは法律によって禁止されている。警官による法の執行は容赦がないから、親たちもうかうかしてはいられない。

日本では夜の街を歩くと、ときおり一人で遊ぶ子供を見かけることがある。アメリカだと、親の育児放棄と見なされる。すぐに通報され、子供は警官に保護される。裁判所を通して、養子に出され、取り戻すには長い法廷闘争をしなければならない。日本的な感覚では非人情のように見えるかもしれないが、その効果は覿面(てきめん)である。アメリカでは成人の住所不定者や物乞いはよく目にするが、子供の浮浪者は見当たらない。

子育てにおいても親が法律を守らなければ罰せられる。この認識が広まれば、多くの事件を未然に防ぐことができる。

控えたい過剰な電飾

元旦の夜、自宅の近くを散歩していると、クリスマス・イルミネーションが目に入った。すっかり正月気分になっていることもあり、同じ電飾なのに、心なしか寂しく点滅しているように見えた。

わずか一週間前に、町はクリスマス一色であった。若い人たちはスマホで互いに「メリー・クリスマス」のメッセージを送り、色鮮やかなイルミネーションは辺りをにぎわしていた。

アメリカでも十二月に入ると、町のあちこちにイルミネーションが点灯する。ただ、日本と違って個人住宅の電飾が圧倒的に多い。ホワイトハウスや国会の前などでは大きなクリスマス・ツリーを飾る習慣はあるが、東京の表参道のように、道路両側の並木が光り輝くような光景はほとんど見ない。

もともとアメリカは多民族・多宗教の国である。かりにアメリカのユダヤ系住民に「クリスマス・イヴはどこで過ごしたか」と聞いたら、おそらく「中華レストランで食事をしていた」との回答が返って来るであろう。というのもユダヤ系の人たちは宗教上の理由で、クリスマスを祝わないからだ。中国系の住民にとっても祝日ではないから、中華レストランは通常営業である。この偶然は絶妙というより、奇妙なコラボレーションを生み出した。

何年前だったか、アメリカは特定の宗教の優遇をやめ、キリスト教以外の宗教にも配慮するようになった。小中高校の生徒がその信仰に従って、自由に休暇を取ることができる。祝いの挨拶にも変化が起きた。「メリー・クリスマス」のかわりに、「ハッピー・ホリデー」が一般的になっている。公共の場でのクリスマス祝いがやや控えめになったのもそのためであろう。

日本のクリスマスは宗教色がほとんどない。信仰というより娯楽である。イルミネーションももとをたどれば、クリスマス商戦の一環であった。いつの間にか生活習俗の一部になっている。習俗ならばいちいち目くじらを立てる必要はない。名目はどうであれ、子供も大人も楽しめれば、それでよい。

やや気になるのはイルミネーションの電気消費である。家庭用のLED電球は百個あたり約五、六ワットを消費する。「聖夜の光」の名所ではだいたい三十万個から六十万個前後使われている。かりに五十万個のLED電球が一日六時間、十一月から六十日点灯するとして計算すると、一時間あたり九千キロワットの電気を消費することになる。いまや規模の大きいイルミネーションは全国に五百カ所もあるという。もしそうだとすれば、全部で一時間あたり四百五十万キロワット消費することになる。一世帯あたり電気消費量は一カ月約三百キロワットだから、全国合計で一万五千世帯の一カ月電気消費量に匹敵する。それに比べて、欧米の電飾は規模が小さい。たとえば、ニューヨークのロックフェラー・センター前のクリスマス・ツリーは有名だが、使われた電球は四万五千個に過ぎない。

クリスマスの電飾を見ると、いつも三・一一東日本大震災の直後を思い出してしまう。未曽有の災害を目の当たりにして、人々は過剰なエネルギー消費を反省し、自発的に節電に取り組んだ。あの日から五年近くの歳月が流れた。わたしたちの心のねじはどこかで弛んでしまったのかもしれない。

何もクリスマス・イルミネーションはいけないといっているわけではない。適度な電飾は地域生活を明るくし、経済活動を促す効果もあるであろう。しかし、過剰な競争は果たしていかがなものか。何よりも節電の余地はまだまだある。たとえば毎日の点灯期間はクリスマスを中心に二、三週間に短縮し、その後、週末だけでライトアップすると、商業地域にとって集客効果がむしろ上がるであろう。少なくとも正月三が日はやめていただきたい。第一、誰も見ようとはしないからだ。

昨年（二〇一五年）十一月三十日から十二月十一日まで、フランス・パリで、気候変動枠組条約第21回締約国会議（ＣＯＰ21）が開催され、二〇二〇年以降の地球温暖化防止の新たな枠組みとなる「パリ協定」が採択された。地球温暖化防止はようやく第一歩を踏み出している。その成否はこれからわたしたちの一人一人の努力にかかっている。新しい年を迎えたいま、そのことを肝に銘じたい。

公共の利益に気を配ろう

わたしの住んでいる町内ではいまも火の用心の巡回が行われている。冬の夜空に響く拍子木の音は日常の一部になっており、個人的には情趣に富んだ習俗の一コマのように感じている。ところが、最近、「うるさい」という住民の苦情が増え、一部の地域では取りやめになったと聞く。小さい子の睡眠が妨げられるのが理由らしい。

都市の住民はどうやら以前よりも音に敏感になり、ひと昔前、生活音として受け止められたものに対しても過剰に反応するようになった。電車で赤ちゃんが泣き出すと、不快な表情をあらわにする人が多くなっているし、学校運動会に腹を立てたり、保育園の設置が騒音という理由で周辺住民に反対されたりすることも増えている。

もっとも驚いたのは除夜の鐘の音である。寺の周辺に住む住民から「うるさい」と苦情が出て、取りやめになった寺が続出したという。心が落ち着く、いい音と思っているだけに、少なからぬ衝撃を受けている。

音に対する感性はいまと昔とではずいぶん違うようだ。吉田兼好は『徒然草』のなかで、大晦日の夜の様子をこう描いている。「晦日の夜は、いとう暗きに、松どもともして、夜中すぐるまで、人の門たたき走り歩きて、なにごとにかあらん、ことごとしくののしりて、足を空にまどふが、あかつきより、さすが音なくなりぬるこそ、年の名残も心ぼそけれ」。大晦日の夜、人々がたいまつを手に村中を走り回り、家々のドアを叩く風習があったらしい。おそらく厄払いの儀式だろう。現代だと殴られるだろうが、昔の人はにぎやかな行事を好んでいたようだ。

花火の音、祭りの音、風鈴の音、鐘の音。それらを季節の風物詩と取るか、近所迷惑と取るかは、人によってそれぞれ違う。時代が変われば、考え方が変わるのも仕方がない。そのことの是非についてはここで議論しない。注目したいのは個人の利益と公共利益とをいかに調整するかだ。

近年、個人の権利を主張する声は強くなってきている。そのことの背後には二つの変化が挙げられる。一つはテクノロジーの急速な発展で、もう一つは公共性に対する感覚麻痺である。

生産技術の向上と情報化の急速な発展とにより、個別対応が可能な生産システムが確立され、個人のニーズに応じた物の供給ができるようになった。ネット注文をすれば、世界中たった一つしかないものを手に入れることができる。他者との差異にのみ関心が向けられ、個人と個人のあいだに共通点が見えにくくなった。

SNSの発達はコミュニケーションの仕方を大きく変えた。遠くにいる人と瞬時に通信や通話ができるかわりに、共同体とのかかわりは以前に比べて稀薄なものになった。個人の「自由な空間」に対する欲求はますます強まり、自己と他者のあいだの壁はかつて想像もできないほど高くなりつつある。

個人と公共性との関係において、わたしたちはかつて経験したことのない変化に直面している。アメリカのトランプ大統領は「アメリカ・ファースト」と声高に主張しているし、日本でも鸚鵡返しのように、「都民ファースト」「県民ファースト」などが叫ばれている。「〜ファースト」といえば聞こえがいいが、本質的に他者に目を向けることを拒否し、自分さえよければいい、という利己的な考え方の現れである。

国際社会も地域社会も公共性を尊重しないと、秩序が崩壊し、赤裸々な利益対立や衝突が起きる。やがて集団全員がその被害を蒙ることになる。実際、第一次世界大戦も第二次世界大戦もがむしゃらな国益の追求によって引き起こされたものである。懸念されるのは、「アメリカ・ファースト」の模倣者の続出である。「自国ファースト」が疫病のように蔓延すると、世界秩序が崩壊し、やがて地球規模の経済危機や地域衝突に陥るであろう。

同じように、個人の利益の過度な主張は地域社会を破たんさせかねない。アメリカからの「風」になびかず、より良い地域生活を守るためにも、一人一人の市民はいま以上に公共の利益に気を配る必要がある。

心の中に壁を作らない

ここ二、三百年のあいだ、人類は文明史上かつてない大変化を経験した。一つ目は十八世紀のイギリスで起きた機械革命で、二つ目は二十世紀の初頭に始まった、合理化に基づく大量生産である。七〇年代に入ると、エレクトロニクス技術を応用した自動化が進み、二十年ほど前から情報通信の革命が急速に進展した。これが第三の産業革命ならば、今後人工知能やビッグデータの活用は第四の産業革命を引き起こすといわれている。

情報通信技術の発達とほぼ同時に、経済のグローバル化は進み、物の行き来や国家間の人員往来はいっそう盛んになっている。物理的にも精神的にも国家や地域間の壁が低くなりつつある。そこで起きたのは旧い価値観と最先端文明との相剋と、それに伴う一連の変化である。

イギリスのEU離脱、トランプ米大統領の当選などは偶然に起きた「異変」ではない。同じ「異変」は人々の心の中でも起こりうる。現代社会は複雑になり過ぎており、錯綜した現象を理解するのに、情報処理のもっとも手っ取り早い方法は認識の単純化である。その最たる例は、心の中で壁を作り、嫌悪すべき仮想敵を作りだすことである。つながっている世界を「わたしたち」と「彼ら」に二分し、注意力を問題の解決にではなく、スケープゴート探しに向けさせる。

すると、思考停止が起こり、敵愾心はたえず増幅される。トランプ大統領の施策は国外から批判されたり、嘲笑されたりするものの、国内では一定の支持を得ているのはそのためである。

旧いエートスは新しい文明の様式とのあいだに齟齬が生じたとき、人々は古い価値観に期待を寄せがちである。時代の進歩にしたがい、民主主義もつねに自己更新し、新しい状況に対応しなければならない。アメリカの政治エリートたちが「ポリティカル・コレクトネス」（政治的な正しさ）のことをよく口にするのはそのためであり、マイノリティや社会の弱者を念頭においたものである。

ところが、「自由、平等、博愛」といった価値観が移民や難民に適用されるとき、一般市民の内面に葛藤が生じる。「わたしたち」と「彼ら」を同等にすることは理念としてわかっても、福祉や社会保障や医療など、富の再分配に関連する問題となると、疑念や反発が起きる。そこで、社会に亀裂が走り、「分断」に向ける動きは一気に加速する。そのことは人種間、宗教間、国家間だけでなく、同じ宗教、同じ国家、同じ民族のあいだにも起こりうる。

話はやや飛ぶが、トランプのスピーチを聞くと、よく「カントリー・ロード」という歌を思い出す。この曲が七〇年代のアメリカで大流行したのには理由がある。六〇年代に公民権運動を経験したアメリカ人はベトナム戦争で大きな挫折感を味わった。そんなとき、「故郷に帰りたい」という歌詞はたんに故郷愛を表現したのではない。「古き良き時代」への郷愁を呼び起こしたものになる。「古き良き時代」とは、繁栄を謳歌した四〇年代後半から五〇年代前半あたりのことである。

文脈はかなり違うが、「アメリカを再び偉大にする」というスローガンにも「古き良き時代」の再来という願望が込められている。「偉大なアメリカ」とは何か。人によって理解が違い、イメージするものも違う。しかし、具体像が明確でないからこそ、想像力が掻きたてられ、人々の心がくすぐられたのであろう。

だが、「古き良き時代」はしょせん幻想に過ぎない。昔がよかったと感じたのは、苦い記憶が忘れ去られただけで、事実はその逆である。「古き時代」と決別したからこそ、よりよい今日がある。

未来ではなく、過去に希望を見いだそうとする動きはアメリカだけではない。同じ傾向は世界各地で見られ、日本も例外ではない。ヘイト・スピーチや、疑惑の渦中にある某学園などはその一例である。人種的・宗教的・民族的な不寛容は心の酸性雨のように、人類の理性をゆっくりと浸蝕している。価値観の過去回帰に抗うためには、時流に流されず、一人一人の市民が独立思考し、冷静に真相を見極めるしかない。

銅像たちの悲しき流転

二〇一七年八月十二日、アメリカのバージニア州シャーロッツビル市でロバート・リー将軍像の撤去をめぐって市民が衝突し、一人が死亡する惨事となった。三カ月近く経ったいま、事件の余波はまだ続いており、対立の火種がいつ爆発するかは予想もつかない。

シャーロッツビル市は面積が二十七平方キロ、人口は五万人未満。国土の広大なアメリカから見れば、ちっぽけな町だが、なかなかどうしてひと筋縄ではいかないところだ。

この町はバージニア州の中部に位置し、南北戦争のとき南部陣営に属していた。アメリカ建国期の政治家で、第三代大統領のトーマス・ジェファーソンの故郷でもあり、市内には南方軍将校の銅像が多く建てられている。バージニア州は伝統的に共和党の地盤で、さきの大統領選でもトランプ氏が勝利を収めた。だが、シャーロッツビル市は例外で、八割の有権者がヒラリー・クリントン氏に票を入れた。選挙結果に不満を抱いている人が多く、リー将軍の銅像撤去もその現れだという。白人至上主義者が撤去反対のデモを行うと、撤去賛成派がすぐ街頭に繰り出したのもそのためである。銅像撤去は一つの導火線に過ぎない。その背後には根深いアメリカ社会の亀裂があった。トランプ氏の大統領当選でその亀裂が拡大し、対立が一気に表面化した。その意味では、シャーロッツビル市の事件はアメリカが抱える問題の縮図ともいえる。

事件の後、南方軍将校の銅像撤去の動きが各地に広がり、それを見かねたトランプ大統領は「次は誰だ。ワシントンか、ジェファーソンか」とツイッターで批判した。ところが、皮肉にもその言葉は不穏な予言になった。シカゴのジェームズ・デュークス司教は四日後の十六日に市長に書簡を送り、初代大統領ワシントンと第三代大統領トーマス・ジェファーソンの名前で命名された公園の改名と、ワシントン像の撤去を求めた。なぜなら、アフリカ系アメリカ人にとって、「ワシントンは英雄ではなく」、銅像は「三一七名の奴隷を有する人物の象徴だ」からである。さらにワシントン・タイムズ紙十月二十七日の報道によると、バージニア州アレキサンダーにあるクリスト教会もワシントンの記念銘板を撤去すると発表したという。

アメリカの南部ではリー将軍の銅像だけでも千五百体を超えるといわれており、その扱い方をめぐって今後ひと波乱もふた波乱もありそうだ。

銅像撤去の騒動は何もいまに始まったことではない。一九九一年、旧ソ連崩壊後、レーニン像やスターリン像は倒されたか、頭部が切り取られた。その数は数千体単位に及ぶという。イラクのフセイン元大統領もまた同じ運命をたどった。ほんらい、「偉人」を表彰するために建てられたものだが、人物評価が変わると、銅像の運命も一変してしまうのだ。

そんな厄介なものが明治以降、西洋の事物として日本にも取り入れられ、盛んに建てられるようになった。一説ではその数がかつて二千体近くにも上ったという。

ところが、戦時中に軍需材料調達のため、銅像の回収や供出が行われ、偉人の銅像にも赤紙が来た。いわゆる「銅像応召」である。いうまでもなく、回収された銅像は溶かされ、金属材料として再利用された。

戦後になると、ＧＨＱの意向もあって、有識者によって銅像の審査が行われた。銅像裁判を経て、軍国主義を宣伝するものは忠霊塔や忠魂碑とともに撤去された。その第一号は広瀬武夫中佐像だ。イラクのフセイン元大統領と同じように、首にロープをかけられ、現場から移動された。戦時中に美談になった「肉弾三勇士」にいたっては、浮浪者に壊された上、お寺に収容されたらしい。銅像の「人生」も生身の人間と同じように山あり谷ありだ。

銅像たちの壮絶な一生を見ると、さぞかし現代人は建てられてほしくないだろうと思ったら、さにあらず。五十年にわたって国会議員を勤めた人は「名誉議員」の称号が与えられ、国会内で胸像が建てられる前例があり、地方自治体が地元の有名な政治家先生の銅像を作る動きはいまも続いている。アメリカではご覧のようなもめごとの原因になっているし、何よりも資源の無駄遣いだから、環境を守るためにも規制の条例を作ってほしいものだ。

公務員、倫理感取り戻して

しばらく前のことだが、村山元首相のインタビューは中国のＳＮＳで紹介され、大きな話題を呼んだ。引退した村山氏は故郷の大分で普通の年金生活を送っており、ＳＰはついておらず、それどころか、外出のときには自転車に乗っている。

「首相とはいえ、退任したら普通の市民ですからね。何も特別な扱いを受けていませんよ」と、本人は平然としているが、一国の首相だった者がいったん職を退くと、庶民と変わらない暮らしに満足している様子は中国の人たちをおおいに感動させた。とりわけ、講演を頼まれても一円の謝礼ももらわないと聞いて、記者はにわかに信じられない様子であった。

そのことを政策研究院大学院大学の学長だった白石隆氏に話したら、「みんなそうしているよ。わたしが学長在任中に何人もの元首相を講演に招いたが、謝礼をもらった人は一人もいなかった」との逸話を教えてくれた。

そういえば、宮沢元首相はかつて可愛い孫のために、「たまごっち」を買う長い行列に並んでいた。いまの中高生なら「たまごっち」のことを知らないかもしれないが、当時、子供たちは喉から手も足も出るほどほしがっていた。宮沢氏は首相職を退いたとはいえ、行列せずに「たまごっち」を手に入れるぐらいの人脈はあったと思う。そうでなくても、店側に申し出れば、高齢者という点を考えるだけでも優先されたであろう。そのことを知りながらも、あえて長い行列に並ぶのはあっぱれな行いだ。政治家全員がそうなのかどうかはわからないが、少なくとも一部の元政治家が高いモラルを持っているのはまちがいない。

そのことはアメリカに比べても、目だって優れている。むろん、アメリカの元大統領はピンからキリまであり、一概にはいえない。しかし、退任後に講演したり、回想録を出したりするとき、法外な報酬をもらうのは慣例になっている。

戦後、日本の首相は走馬灯のように変わっていた。安倍首相は第九十七代目だが、終戦から数えれば、三十三人目の内閣総理大臣になる。戦後七十二年ほどの歴史のなかで、一人の首相の平均在職期間はわずか二年余しかない。その分、存命中の元首相の人数も多い。中曽根康弘から野田佳彦にいたるまで、物故した羽田孜と再登板した安倍首相を除いて、全部で何と十二人にも上る。旧日本軍ふうに編成すると、れっきとした歩兵小隊になる。中曽根康弘が曹長ならば、鳩山由紀夫や菅直人や野田佳彦はさしずめ二等兵であろう。世界広しといえども、こんなに大勢の元首相がいる国は珍しい。

首相経験者の収入は果たしていくらあるか。前述十二人のうち、麻生太郎、菅直人、野田佳彦はまだ現役の閣僚か議員なので、大臣や代議士としての収入がある。引退した方々は年金暮らしであろう。村山元首相のような「貧乏」な方は少数派だとしても、贅沢三昧な生活をしているのはおそらくいないのではないか。

日本の役人の清廉さもかつて世界的に有名だ。上級公務員から地方公務員にいたるまで賄賂を受けたり、職権を乱用したりする者は珍しい。その点はいまも変わらない、と信じたいが、近年、中央省庁の官僚の職業意識の劣化には目を覆いたくなるものがある。

学校法人「森友学園」への国有地売却をめぐって、財務省の決裁文書が書き換えられたのは周知の通りだ。そのこと自体はさておき、官僚の対応はじつに見苦しい。小泉元首相の時代に「大蔵スキャンダル」が発覚し、トップ官僚はあっさりと引責辞任した事件があった。スキャンダルとはいっても、通報の遅延や過剰接待といった程度の問題だ。

しかし、今回の事件は性質が大きく違う。改ざんがあり、隠蔽があり、虚偽の証言のくり返しがあった。国の重責を担う官僚がここまでするかと思うと、背筋が寒くなる思いがした。何よりも、国会証言に立つ官僚の対応は情けない。保身のため、事実を曲げている、と受け止められても仕方はない。

三権分立のうち、行政は重要な柱の一つである。政治権力の中枢の顔色ばかりをうかがっていては、行政側のほんらいのあるべき姿を歪めることになる。清廉で、凛とした公務員のプライドをぜひ取り戻してほしい。

災害救援　地域に専門機関

西日本豪雨から二週間以上経ち、予想をはるかに超える被害の全容が明らかになった。七月下旬現在、死者は二百二十人前後に上り、住宅被害は三万八千棟を上回っている。二年前に起きた熊本地震では二百六十七人が犠牲になった。そのうち災害関連死の百八十人が含まれているから、今回の豪雨被害がいかに大きいかがわかる。

日本はもともと地震など自然災害の多い国で、近年、地球温暖化のためか、集中豪雨、異常高温、山崩れなどの自然災害は多発している。今後、地球環境の悪化がさらに進むならば、巨大災害はまた起きるであろう。

このような状況に直面して、どうすればよいか。「備えあれば憂いなし」ということわざがあるように、物質的な備えや心の備えなど、さまざまな災害対策の準備が必要である。

しかし、これだけではまだ十分とはいえない。大自然の威力の前で、人間の力には限界がある。「防災」も大事なことだが、災害が避けられないという現実を直視し、「災後処理」の体制作りは急務となった。

災害からの復興において、ボランティアが大きな力を発揮することは、今回の豪雨被害でも証明された。一九九四年に起きた阪神大震災のときがよい先例となり、その後、大きい災害が起きるたびに、ボランティア活動は自発的に組織されるようになった。むろん、ボランティア期間の公休扱い、大学での単位認定などの制度整備や、応援地域の偏りの解消など、解決すべき課題はまだ多く残っている。とはいえ、ボランティア活動を通しての被災地支援はすっかり定着し、災害地域の再建に大きく貢献したのはまちがいない。

ただ、ボランティア活動は、災害の危険がすでになくなり、生活再建が課題になるときに行われたものである。その前に、災害が起きた直後の人命救助という、大きな課題がある。災害がいつ、どこで起きるかは予測しにくい。堤防をどのように高く築いても、建物をいくら堅固に作っても、それを上回る災害が起きれば、被害を完全に防ぐことはできない。自分の身を自分で守り、余力があれば、避難に困難のある人を助けるのは何よりも大切なことである。

いま災害が起きると、自衛隊の出動が当たり前のようになっている。大地震や水害など、巨大災害の場合、自衛隊の救助活動が大きな役割を果たしたのは周知の通りである。しかし、それだけに頼るのではなく、地域の自助努力にはまだ発揮できる余地はある。

自衛隊はほんらい、国土の安全保障のために設置されたもので、災害救援を仕事内容としているわけではない。人命救助のための出動は、いわば苦肉の策で、経済的な効率を考えれば、必ずしも最善の選択肢とはいえない。そもそも救援は専門ではないから、処理できない場面が出てきてもおかしくない。何よりも遠隔地から駆けつけるならば、どうしてもタイムラグがあり、初期段階での救助に間に合わないこともあるであろう。

その問題を解決するためには、新たな防災救援体制の整備が不可欠だ。都市部に消防署が設置されているのは、近代都市にとって火災が大きな脅威であったからだ。ところが、いまは建物の防火基準が厳しくなり、木造建築も以前ほど燃えやすいものではなくなった。火災の頻度と比べて、むしろ救援出動の要請が増えている。

消防機関の必要がなくなったというのではなく、消防の機能を残したまま、地域ごとに防災救援の指揮命令系統を統括する専門機関を設置したほうが、現代の都市や地域の実情に合うものとなるであろう。消防と並行して、地震、噴火、津波、台風、土石流、豪雨のときの人命救助の専門部署を作り、必要な救援資材も揃える。地域から人材を集め、専門訓練を受けさせる上、予備役として登録しておく。ふだんは会社員や農業従事者、あるいは公務員として働くが、いざ災害が起きると、各専門の予備役が召集され、救助活動に従事させる。それぞれの地域に専門の救助人員がいるから、災害の直後からの迅速な救援が可能となる。そうすれば、初期段階での救援活動を展開できるだけでなく、自衛隊にとっても大きな負担減になるであろう。

「天は自ら助ける者を助く」。この金言は災後処理の場合に当てはまるはずである。

女性自ら意識改革必要

東京医科大学が入試で試験成績を操作し、女子学生に不利な配点調整をした報道は社会に大きな衝撃を与えた。選抜の不公平や不公正もさることながら、何よりも時代遅れの女性差別は内外から広く批判を受けている。

私学とはいえ、公的な性格を持つ教育機関である。しかも、国家から助成を受けているから、社会的責任や道義的責任を負わなければならない。何人も平等に教育を受ける権利を踏みにじり、女性というだけで差別するのは言語道断である。

だが、問題の根源はもっと深いところにある。女性差別が起きる土壌を変えないと、根本的な解決にはならない。女性が男性と同じように活躍できる社会をどう作るか、そのためには人々がどのように意識を変えるか。これらのことについて考え、社会改革、意識改革をしないかぎり、同じ問題はまた別の形で起きるであろう。

よくいわれていることだが、日本では女性の管理職や専門職の割合が低い。代議士や閣僚クラスとなると、数えるほどしかいない。そのことは海外でもしばしば話題になり、日本の国際的なイメージを悪くしている。

弁明の口実として、かつて歴史や伝統がよく持ち出されていた。しかし、その手はもはや通用しなくなるであろう。同じく儒教文化圏の国や地域を見ても、近年、状況が大きく変わっている。韓国にはすでに女性の大統領が誕生したし、台湾の現職の総統や香港の現職の行政長官も女性である。台湾では二〇一六年一月十六日に立法院選挙が行われ、中央選挙委員会の発表によると、女性当選者は三八パーセントに達しているという。ちなみにシンガポールは女性議員の割合が二三パーセントで、香港は一八パーセント、韓国は一七パーセントである。いずれも世界平均の二三・四パーセントにはまだ届いていないが、日本の一三・七パーセントを大きく上回っている。なかでも香港や台湾の女性の参政は目覚ましい。儒教の国は男尊女卑の伝統があるのに、なぜ女性の政治参加が進んでいるか、ずっと不思議に思っていた。

先日に仕事で三年ぶりに香港に行ったとき、いろいろな場面で多くの女性が活躍していることに驚いた。知人に聞いたら、その理由を教えてくれた。

香港はかつて儒教文化の影響で女性のもっとも大事なことは嫁に行くことだとされていた。結婚後も家のなかに止まり、育児に専念すべきだというのが社会通念であった。それが変わったのはいくつかの時代の波があったからだ。一九六〇年代には香港経済が成長し、労働力が不足するなか、女性も貴重な働き手になった。八〇年の高度成長期に入ると、若い世代の女性は高い教育を受けるようになり、その結果、職場での女性の地位と収入が男性を上回ることは多くなった。

もっとも重要なのは女性がみずから意識を変えたことだ。二十一世紀に入ってから、香港の女性は積極的に社会運動に加わるようになった。「社運女神」という愛称を持つ彼女らの活躍で、女性の政治参加は当たり前のことになり、そうした動きは女性の地位向上に大きく貢献した。

台湾でも「政治女神」と呼ばれる女性の活躍は目覚ましく、前副総統の呂秀蓮、国民党の前総統選候補者洪秀柱、高雄市長の陳菊など、有名な女性政治家が輩出した。

近年、日本でも女性の就職率が高くなり、アンケート調査をしたら、ほとんどの女子学生は結婚しても仕事を辞めないつもりだという。女性の経済力が今後高まるであろう。かりに香港や台湾に倣うことがあるとすれば、女性たちがみずから意識を変えることであろう。「婚活力」や「女子力」といった言葉に惑わされてはいけない。「見た目を大切にする」ことも「家事や料理が得意」も「気配り上手」もしょせん男尊女卑の意識の残滓でしかない。必要となれば、ハイヒールで恋人や夫の頭を叩いてでも自己主張をする、とまではいわないが、女性差別を本気でなくすためには、男性と対等の立場に立ち、自分の権利は自分で守るぐらいの気概は必要である。

男女の社会性についての研究によると、男性と女性はそれぞれ価値観が違うという。男性は概して競争心が強く、社会的成功を志向している。それに対し、女性のほうは責任感がつよく、円滑な人間関係を大事にしている。男性よりも思いやりがあって、他者とのコミュニケーションに長けている。こうした男女の違いは、女性の社会参加、政治参加によって互いに不足が補われ、よりよい社会を作るのに役立つはずである。

医療保険維持へ改革必要

恥ずかしいながら、ついに前期高齢者になった。

四月を過ぎてから、役所から矢継ぎ早に通知書が送られてきた。まずは、肺炎ワクチン予防接種。続いて、老齢年金受給の繰下げ手続に、インフルエンザの値引き予防注射。介護保険証が送付されてきたのには一驚したが、封筒を開けてみると、保険料の大幅な値上がりの知らせだ。

さらに、歯の検査を受け、歯科医が報告書を提出しなければならない。その報告書にはご丁寧にも歯が何本残っているか、と記入する欄があった。役所は何事も統計を取らないと気が済まないらしい。

ここまで来ると、つい向きになって、何か高齢者らしくないことをしたくなった。はっと脳裏をよぎったのは「冷や水」という言葉である。そうだ。「年寄りの冷や水」を浴びようではないか。若い頃は怠け者だったので、ついに水泳ができずに齢を重ねてきた。プールに入るどころか、しぶきがかかるのも嫌だった。そんな人間が夏休みに入ると、腹をくって水泳の個人教師をつけ、本気で習い始めた。

レッスン代が高いということもあって、真剣に習い、懸命に練習した。三週間後になんと泳げるようになった。だが、冷や水が効きすぎて、四六時中鼻水を垂らしている。ここで辞めたら負けだと思って、ひたすら我慢して、泳ぎつづけた。すると、鼻水の量が徐々に減り、体は前よりも丈夫になった。水泳を始まる前は少しでも薄着をすると、すぐ咳が出たり、鼻水を垂らしたりしていたが、そんな症状は嘘のように消えてしまった。気温が二〇度以下になった日にプールに入っても、一向に平気だ。

水泳を習いたいと思ったのには、もう一つの理由があった。年が取っても、なるべく病院に行きたくないからだ。

むろん個人のためにもなるが、医療関係者に話を聞くと、みな一様に「医療保険制度はいずれ崩壊するのではないか」と危惧している。医療技術が進歩し、以前は直らなかった病気も治療できるようになった。入院患者も外来患者も高齢者が大半を占めており、限られた医療資源は特定の年齢層に偏っている。このままだと、医療保険制度は破綻しかねない。

本庶佑教授のノーベル医学賞受賞で、がんの免疫療法が話題になっている。多くの命が助かるのはありがたいことだが、オプジーボには高額なものが多く、保険適用によって、歳出がさらに増加するという問題がある。働き盛りの人たちは仕事が忙しく、がんの発見が遅れがちなのに比べ、定年後の人たちは比較的に早く見つかるケースもままあるらしい。

報道によると、二〇二二年以降、七十五歳に達する人が二千万人台になり、まもなく人口の三分の一が高齢者になると推定されている。平均寿命が延びたのはいいが、医療費は年々高額になって、公的負担は増加の一途をたどっている。

第四次安倍改造内閣の発足に伴い、社会保障費の抑制は検討課題になった。七十五歳以上の医療費自己負担を一割から二割に引き上げるだけでなく、三割自己負担の高齢者の対象拡大も視野に入れた。しかし、これだけでは焼け石に水なのは目に見えている。

お隣の韓国では思い切って医療改革を行った結果、財政の健全化が達成された。日本も高齢者に応分の負担をしてもらえば、状況は改善するであろう。

まず、着手できるのは、オプジーボの年齢傾斜による自己負担増であろう。高額治療薬の保険適応は一律ではなく、たとえば、六十五歳までは従来の三割負担で、六十五歳から四割、以降、五歳ごとに一割を上げる方法を取れば、もっとも必要な患者が治療を受けられるだけでなく、社会保障費の抑制になるはずだ。高額の検査費や入院代も似たような仕組みを導入すれば、さらに効果が上がる。そのかわりに、安価な日常的な病気診療については従来のままにして置けば、不安もなくなるはずだ。

これまで社会保障費抑制が一向に進まないのは、高齢者の反発に対する政界の不安があった。しかし、高齢者も自分さえよければいいと思っているわけではない。むしろ、意識の高い方も大勢いて、彼らも国の財政問題を心配している。何よりも医療保険制度が破綻したら、元も子もないから、誰もが持続性のある医療福祉制度を望んでいる。丁寧に説明すれば、高齢者層の協力を得られるに違いない。

「しつけ」名目の虐待防げ

千葉県野田市の栗原心愛(みあ)さん(十歳)が一月二十四日に自宅で死亡した事件で、父勇一郎容疑者は傷害致死罪で起訴された。それを受けて、政府は相次ぐ児童虐待への対策を強化し、「親権者は児童のしつけに際して体罰を加えてはならない」と明記する児童虐待防止法改正案を今国会中に提出する予定である。

やや遅きに失したとはいえ、体罰の禁止を法律で定めるのは大きな前進である。ただ、それだけでは十分ではない。じっさい、千葉県野田市の事件が大きく報道され、社会的な注目を集めていたにもかかわらず、その後も児童虐待の事件が立て続けに起きている。二月七日、九歳の男の子に暴行したとして母親の内縁の夫で、無職で二十七歳の笹本駿介容疑者が逮捕されたのに続いて、三月五日、大やけどを負った三歳の女児を家に放置したという痛ましい事件が起きている。

今回の法律改正で、親が子を戒めることを認める民法の「懲戒権」は撤廃すべきなのに、残念なことに改正案では「施行後5年をめどに検討を加え、必要な措置を講ずる」と法案に盛り込むにとどまっている。大人同士の場合、他人に暴力をふるうと、暴行罪や傷害罪が問われるのに対し、弱い子供に暴力をふるっても、「しつけ」という名目で黙認されるのは理屈が通らない。

これまで児童虐待の事件が相次いで起きている原因の一つとして、対応の窓口が行政機関であることが挙げられる。もし「懲戒権」を撤廃すれば、刑事事件として警察は迷いなく迅速に介入できるし、加害者の親に問題の重大さを認識させる効果もある。

「しつけに際して体罰を加えてはならない」という文言にも問題がある。このような規定は結果として親による体罰を認めることになる。というのは、親によっては「しつけ」に対する認識が大きく違い、本人が「しつけ」だと思っても、周囲の人たちの目には明らかに虐待に映る行為がある。「あらゆる体罰を加えてはならない」としたほうが明確で、保護者にとっても、行政や警察側にとってもはっきりした行動基準になる。

法律はきびしく設定し、厳密に執行されてはじめて実効性を持つものになる。児童虐待防止法が制定されたのは八十六年前の一九三三年である。ところが、五十歳以上の方は子供のころ親に叩かれたからといって、虐待されると思ったことがあったのであろうか。「しつけ」と称した体罰や、「懲罰権」が法律によって認められているかぎり、この状況を変えにくい。

問題を根本的に解決するためには、さらに重要なことがある。児童虐待の罪を犯した親をいかに更生させるかである。虐待を受けた子供は一時的に保護されても、最終的にまたその親のもとに戻ってしまうことが多い。児童虐待をなくすには、虐待傾向のある親を変えるのが肝要である。

人情の常として、誰もがわが子を可愛がるはずである。生みの親として、くり返しわが子に暴力をふるうのには、必ず何らかの理由がある。子供のころ、愛されるという経験の乏しい人は、子供をどう愛するかを知らない。また、幼少時に「叩かれる」ことが「しつけ」だと刷り込まれた人は大人になると、次の世代に同じことをする確率が高い。子供に手を上げて、事後になって後悔したりする親は少なくない。手を上げてはいけないとわかっていても、幼少時のトラウマは見えないところで本人の言動に影響を与えることがある。児童虐待を根絶するためには、そうした傾向のある親の心のケアをする必要がある。ただ、たんに責めたり、法的に罰したりするだけでは問題の解決にならない。

区町村などの行政機関は児童虐待防止に経験のある精神科医や臨床心理士に依頼して、専門の相談窓口を作るべきだ。自ら相談を希望する人に対応するだけでなく、児童虐待の前歴があり、あるいは問題が起こりそうな親に定期的に来てもらい、専門家とともに心の問題に取り組んでもらう。そうした親たちに自分の心に問題があると認識させるだけでも、状況は大きく改善する可能性がある。地方自治体にぜひ取り組んでもらいたい。

多文化社会への備え必要

この数年のあいだ、東京では働く外国人が目立って多くなってきた。コンビニでもスーパーでもレストランでも外国人の従業員は珍しくなくなっている。それでも人手不足の問題はなお解消されていない。というのは外国人留学生にはアルバイトの時間制限があり、本業の学習に支障をきたしてはならないという規定があるからだ。

留学生を雇えない介護や建設の現場では問題はさらに深刻である。そうしたことを背景に、昨年（二〇一八年）十二月八日、「出入国管理及び難民認定法及び法務省設置法の一部を改正する法律」が国会で可決され、在留資格「特定技能1号」「特定技能2号」が創設された。これにより新たな外国人受け入れ制度は今年の四月からスタートし、五年間で外国労働者が三十四万五千人に拡大される見通しである。

今回の改正法について、日本政府はついに移民政策に踏み込んだと報道する海外メディアもあった。しかし、安倍首相はそのような憶測を否定し、去る二月の経済諮問会議で「移民政策を取る考えはない」と明言している。

新制度がスタートしてから、二カ月以上経ったが、いまのところ、目立った問題は起きていない。ただ、外国人労働者の受け入れは、産業ロボットの導入とまったくわけが違う。会社にとって働き手の確保に過ぎないが、自治体にとっては異文化の背景を持つ居住者を受け入れることになる。外国人労働者の受け入れは労働力だけでなく、その人をめぐる社会的なネットワークも受け入れることになる。そのことは取りも直さず、日本は今後かつて経験したことのないような、多文化の社会に突入することを意味している。

外国人との共生というと、よく持ち出されるのはルールの順守やマナーの問題である。地域市民にとって確かに大事なことだが、外国人労働者はほとんどが青年であることを考えると、さほど大きな問題ではない。彼らは半年もあれば、すぐに順応できるであろう。

重要なのは多文化社会の到来に備え、従来の社会制度をいかに改革し、どのように新しい状況に適応させるかである。その一つとして、健康保険制度の機能改善が挙げられる。

現在の国民健康保険は一九三八年、山形県角川村（現在の戸沢村）に発祥した。それ以来、すでに八十年の歳月が流れた。全国民が対象となった一九五八年から数えても、六十年以上過ぎている。当時の状況と現在とを比べると、天と地ほどの違いがある。

皆保険の社会は誰もが保険に入っている。だから、他人の保険証の悪用を想定する必要はなかった。保険証に写真はなくても、窓口で本人確認を求めなくても、問題は起こらなかった。

ところが、いまや国境を越える人の往来はかつて想像もできないほど頻繁になっている。格安の航空便を利用すれば、誰でも簡単に日本に来られるし、留学もビジネスもハードルは以前より低くなった。日本の医療水準の高さ、医療保険の手厚さを考えると、保険証の替え玉使用をいかに防ぐかは、真剣に検討すべき問題になるであろう。

実際、国民健康保険を悪用する事例はすでに起きているという。高額治療費が予想される難病にかかった外国人は留学生に偽装して入国し、医療保険を悪用しているることが囁かれているるし、観光ビザで入国し、親戚の留学生から保険証を借りて使用することも少数だが、起きているらしい。これらが違法なら、「合法的な」手段を使う人もいる。実体のない会社を作り、保険証を手に入れると、高額治療に使っている。国民健康保険は既往歴を申告する義務がないから、法的に追及される心配もない。

不正を防ぐためには、健康保険の種類を増やし、海外投資による新設会社には最低納税期間などの条件をつける必要があるであろう。また、国民健康保険の加入手続きを厳しくし、民間の保険会社と同じように、既往歴の申告や悪用防止の誓約を取り付けることも欠かせない。保険証は種類にかかわらず、顔写真付きのものに変更し、病院の窓口では本人確認を徹底させるのも不可欠であろう。

どのような制度でも盲点があり、また、その盲点をつく人は必ず出てくる。とりわけ旧い制度は想定していないことが多い。事後になって慌てたり、不正行為を非難したりするよりも、不正を事前に防いだほうがはるかに手っ取り早い。

四　明日のための教育とは

研究職　労働時間短縮を

三月も半ば頃を過ぎると、早くも卒業・入学の季節が訪れる。先日、学位授与式でスーツ姿や袴姿のゼミ生と久しぶりに会ったが、仕事のため「明日から海外」という学生がいるのには驚いた。

わたしが所属する学部には海外出身者や海外就学経験者が多く、留学生の比率もよその学部に比べて若干高い。外国人学生の大半は近くの中国と韓国から来ていることもあって、わが子の卒業式に参加するために、両親がわざわざ海外から駆けつける例も珍しくない。ひと昔まえ海外留学といえば大変なことであったが、ここ数年、様変わりしている。やや大げさにいえば、アジア圏内の留学は地方から東京への進学とそれほど変わらなくなっている。就職についても、一世代上の人々と考えがずいぶん違う。留学生には日本に永住したい人もいれば、ひとまず日本でキャリアを積み、いずれ帰国したい人もいる。卒業してすぐ本国に戻るケースや、第三国に職を求めるケースを入れると、文字通り十人十色だ。

日本人学生にも意識の変化が起きている。国内で就職するのはまだまだ主流だが、いきなり海外で働き出した人や、留学を経験して海外で仕事を見つけたい人もいる。また、外資系企業に就職し、いずれ海外で働きたいと考える学生も年々増えている。

近年、外国人単純労働者の導入が話題になっているが、個々のケースに目を向けると、労働市場にはさまざまな変化が起きている。確実にいえるのは流動化は以前にもまして加速していることだ。

海外留学経験者の日本を見る目は厳しい。その分、彼らとの雑談から思わぬことに気付くことが多い。脱出組、あるいは脱出願望を持つ者に共通するのは、日本企業の長時間勤務に対する不満だ。かつては日本の美徳のように語られているが、いまの若い世代は必ずしもそう思っていない。彼らは働く目的がはっきりしており、仕事のために余暇を犠牲にすることは考えられない。外国での生活が長く、海外の事情に詳しいほど、その傾向が強い。

会社だけでなく、若い研究者のあいだにもそう思う人が増えている。先日、欧米の大学で研究していた学生と話す機会があった。最大の違いは何かと聞くと、欧米では仕事と休みがはっきり区別されていることだという。研究がどんなに忙しくても、毎日の勤務時間はきちんと守られている。たまには徹夜して作業することもあるが、だいたい夕方の五時か、六時には帰宅する。女性はもちろん、男性も育児や家事に参加できるし、家族と余暇を楽しむことができる。日本のように、だらだらと夜遅くまで実験し、土日も休まないことは考えられない。そのわりにはきちんと研究成果が挙げられており、国際ランキングでは日本の研究機関を凌駕している。「将来、日本で研究するか、海外で研究するか、正直にいって迷ってしまう」と彼らは異口同音に言う。

日本では長いあいだ、「仕事が生き甲斐」が当たり前のことであった。だが、「日本の美徳」という紋切型のお説教はもはや優秀な人材を引き留めることができなくなるであろう。実際、長期間労働は必ずしも仕事の成果と結びつかず、一部の会社ではすでに残業を減らす努力を始めている。しかし、理工系の研究現場ではいまだに長時間実験・研究は当たり前のようになっている。

そもそも八時間労働の根拠や合理性が問われており、働く環境に応じて労働時間を変える動きは一部ですでに出ている。二〇一六年三月二〇日付『日本経済新聞』の記事によると、スウェーデンにあるトヨタ自動車系の販売会社が一日の勤務を六時間に減らすと、労働効率が上がり、売上も利益も五割以上増えたという。ＩＴ会社に勤務しているアメリカの知人は五、六年も前から自宅勤務を始めている。決まった時間内で与えられた仕事をこなせば、会社は勤務状態を問わない。

しかし、残念ながら、日本の研究現場ではまだ旧態依然たる状況が続いている。世界における専門人材の争奪が激化しており、このまま手をこまねいていては深刻な事態になりかねない。一刻も早く改善が求められている。

文系不要論の間違いとは

村上春樹ブームに象徴されるように、ここ十数年来、日本の小説は海外で多く読まれるようになった。村上春樹だけではない。川端康成と大江健三郎はいまも不動の人気があり、推理小説の部門では東野圭吾らの作品もファンが多い。

一口に海外とはいっても、東アジアが世界の読書市場に占める地位は年々高まり、なかでも、巨大な読書人口を抱える中国はますます重要になってきている。大江健三郎にしろ、村上春樹にしろ、中国での販売部数は欧米を圧倒している。

その中国の読書市場だが、近年、市場化の波に押され、良書の売れ行きは落ちてきている。そのため、有益な図書の刊行を目指す出版社は月に一回共同で「人文・社会科学の良書リスト」を発表し、優良な人文書を推薦している。通俗書がよく売れるという時流に抗するのが目的だが、その宣伝効果は抜群である。娯楽にあきたらず、読書で己の精神生活を充実させようとする読者たちはそのリストに案内されて、良質な書籍に出会うことができる。図書が大量に出版されている現代において、重宝された情報源である。

今年の六月に発表されたリストを見ると、推薦された二十二冊のうち、中国とアメリカの書物はそれぞれ八点で、トップを占めている。ドイツは二点、フランス、ロシア、オーストラリアとインドはそれぞれ一点である。ところが、日本の人文図書は一冊もない。これまでにもほとんど登場したことはない。

人文学の研究水準はその国の文化の高さを示すもので、一朝一夕にできるものではない。明治以降、日本は西欧の人文思想を取り入れ、西洋由来の人文学は近代日本を形作る上で決定的な影響を与えている。実際、政治家や企業家、公務員や教育者のなかで文系出身者が圧倒的な多数を占めている。

文系がいかに重要なのかは、今日でも欧米から多くの人文社会科学の書籍が翻訳されていることを見ても明らかである。日本の小説は海外でも評価されるようになったが、欧米に比肩できる思想家や、世界的な影響力のある文系の研究者は果たしてどれほどいるかというと、はなはだ心細い。海外において、日本学を除いて日本の人文社会科学の書籍がほとんど翻訳されていないのはそのためであろう。その意味では、文系教育はいらないどころか、むしろ今後より一層力を入れるべきである。

そもそも文系と理系とは必ずしもはっきりと分けられるものではない。一九〇二年、イギリスの数学者であるバートランド・ラッセルは、集合論の矛盾をつく「ラッセルのパラドックス」を明らかにした。数式にすると、きわめて難解だが、幸い、「床屋のパラドック」という異名の通り、言葉でも説明できる。

ある町ではたった一人の床屋は「自分で髭を剃らない人全員の髭を剃り、それ以外の人の髭は剃らない」との張り紙を店頭に張り出した。ところが、ある日、彼は自分に髭を剃ろうとしたとき、手が止まった。というは自分の髭を剃らなければ、彼は「自分で髭を剃らない人」に当たるから、自分で髭を剃らなくてはいけなくなる。そこで、矛盾が生じる。かといって、もし、自分の髭を剃れば、「自分で髭を剃らない人全員の髭を剃る」という約束とも矛盾する。

このパラドックスは「数学の危機」とも呼ばれたが、後に本人やほかの数学者たちの探求によって問題が解決された。

ラッセルは数学者ではあったが、論理学や哲学など人文学の研究にも興味を持っていた。小説は一冊も書いたことがないにもかかわらず、一九五〇年、ノーベル文学賞を受賞した。一見、奇妙に見えるようだが、理系と文系の関係をよく考えれば、なんら不思議ではない。

数学はその定義の厳密性により、文系からもっとも遠い学問だと見なされがちだが、じつは「数学は言葉」といわれるほど、「文系的」な学問でもある。さらにいえば、サイエンスのどの分野も文系研究と深い関係がある。その意味では、文系不要論を主張する人は理系の本質をまったく理解していない。文系は理系と対立するものではなく、互いに支え合う関係にあることはもっと認識されるべきである。

「文系学部廃止論」は危険

イェール大学の心理学教授ローリー・サントスはたいへん面白い実験をした。彼女は猿たちに貨幣の意味を教えるために、まず、コインのような丸い金属片を渡す。猿たちは最初好奇心でいじったり、眺めたりしていたが、すぐに捨ててしまう。次に金属片が餌に換えられることを教えた。猿たちはあっという間に貨幣の意味を理解し、餌と交換できることも覚えた。

そこで、檻には一度に多くの「お金」を投げ入れ、自由に取らせた。当然のように、体力やすばしこさの違いにより、手に入る貨幣の量が異なり、猿の群れに「不平等」が生じた。すると、驚くべき一幕が起きた。余分の貨幣を手にした雄猿は買春のような行為をしたり、「金持ち」になった猿が集団による攻撃を受けたりする事態になった。消費や交換といった経済行為は高度な頭脳を持つ人間にしかできないと思われていたが、この実験によって猿にもできることがわかった。

ひと昔まえ、人類と動物はまるっきり違う生物だと思われていた。だが、動物学研究の深化により、道具の使用のみならず、シンボルの意味、社会関係の操作など、人間の知性と似た特徴は一部の霊長類も持っていることが明らかになった。

ところが、人間が歌を唄い、ダンスを踊るのに対し、動物は音楽どころか、リズム感もない。自発的な踊りもできない。犬や猫は一生、人間と暮らしても音楽には何ら興味を示さない。「牛に対し琴を弾く」とは、まさにそのことをいっている。

音楽だけではない。動物は絵を描かないし、絵画や彫刻などの美術作品に興味を示さない。霊長類も例外ではない。一九六〇年代にアメリカの前衛芸術家がチンパンジーに絵具をキャンパスに塗りつけさせたことがある。しかし、それは人間のしぐさを真似させたもので、チンパンジーには絵を制作する動機も意欲もない。

太古時代の壁画からもうかがえるように、人類ははるか昔から美術の表現意欲と鑑賞能力を持っていた。また、先史時代の壁画に人々が躍っている様子が描かれていることから、原始時代から歌や踊りがすでにあったと推測されている。

オランダ生まれの学者ヨハン・ホイジンガは文化の遊戯起源説を唱えている。彼がいうには人間活動の根本は遊びにあり、遊びこそ人類文化の起源である。音楽も美術も遊びも無用といえば、無用なのかもしれない。しかし、人間はまさに「無用な」ことをすることによって、動物から人間へと進化してきた。

ところが、いまの世の中は一見無用なものに対する風当たりは強く、大学では「実学」を重んじられている。法律、会計、ビジネスなどの専門職大学院が作られ、資格を取るための教育が行われている。その一方、教養教育は役に立たないものだとされ、人文学は「虚学」として軽視されるようになった。その最たるものは国公立大学の「文系学部廃止論」である。

先日、日本屈指の大学のキャンパスで出会った知人は、人文系学部の人員削減によってこれから一部の学科は確実に消えてしまう、としきりに嘆いている。削られるのは少数言語やそれに関連する文学・文化研究の領域で、理由はむろん役に立たないということである。

ほんらい「有用」と「無用」は相対的なもので、役に立たないと思われた学問でも、数百年経ってからじつは役に立つことがわかるものもある。論理学は空理空論と思われていたが、一九四〇年代になって、コンピューター科学の誕生に大きな役割を果たした。心理学も文系の学問だが、いまや医療の現場で臨床心理士は欠かせない存在になっている。先祖祭祀、祝祭や宗教儀式などは迷信といえば迷信かもしれない。しかし、共感、同情、哀悼など人間の知性の大事なものはそうした役に立たない行為のなかで培われている。

文系学部廃止論は一つの危険な徴候だ。そのような考え方の根底には人間の知性の奥深さに対する敬意の欠如と、学芸に対する近視的な偏見が潜んでいる。大学は就職のための教育機関ではない。自然や社会や人間に対する理解を深め、知性を醸成し、倫理的な心的慣習を養うための場所である。そのことは、関係者にぜひ広く知ってもらいたい。

外国語教育　広い視野で

二〇一八年四月から小学校で英語教育の義務化がスタートし、幼稚園児の子供を英語塾に通わせる保護者が増えている。「英語にあらずんば言語にあらず」の勢いである。

その理由は単純明快であろう。アメリカは圧倒的な力を持つ超大国で、英語は世界のどこでも通用すると思う人が多いからだ。はたして英語が世界語になるのだろうか。今年の前半、資料収集の機会を利用して、ヨーロッパのかなりの部分をまわり、訪問先で知人にも話を聞いてみた。

フランスやイタリアなどロマンス語の諸国は昔から自国の言語を大切にし、英語の文化浸透に対し、強い警戒心を持っていることはよく知られている。ほかの国々はどうなのか。

ヨーロッパ大陸の南東部には、人口が一千万前後の国々は複数ある。経済は西欧ほど発達していないが、文化の自尊心は高い。英語一辺倒どころか、町を歩いても、英語はほとんど目に入らない。東欧諸国もほぼ同じで、ポーランドやハンガリーなどでは英語はたいがい通じない。国際化が遅れているかと思って、数年前、チェコで会った知人に聞いたら、「そうかもしれないね」と曖簾に腕押しの回答であった。だが、何年経っても状況は変わっていない。もしかすると、もともと「国際化」するつもりがなかったかもしれない。

そうかんぐりたくなったのはバルト海の沿岸をまわったときである。人口規模でいうと、北欧のなかでスウェーデンはやや多いが、それでも一千万人を超えていない。ほかの三つの国はいずれも五百万人前後である。バルト三国になるとさらに少ない。独、仏、英などに比べて、いずれも人口小国ともいえるが、アメリカの顔色をうかがったり、へつらうようなことは一切していない。国家の尊厳を大切にし、小粒ながらも、凛とした国々である。

もっとも驚いたのは、市内のどこに行っても、英語の表記はいっさいないことである。観光客目当ての店は別にして、商店の品はもちろん、庶民向けのレストランではメニューも本国の言葉で記されている。英語のメニューがあっても、客に求められて、はじめて手渡される。

道路の標識も地下鉄構内の案内もすべて現地語である。併記があっても英語ではなく、隣国の言葉である。たとえばスウェーデンの地下鉄駅内ではフィンランド語の併記があり、逆もまたしかりである。多少の不便はあるが、ここまで徹底すると、むしろある種の潔さを感じる。

東京などで英語による併記が増えたのは外国人の観光を促進するためのもので、それなりの意味と効果がある。なぜヨーロッパではそうしないのか。ほんらい、観光業といえば、ヨーロッパのほうがむしろ先進国で、西欧も東欧も北欧も観光業は国民経済にとって、大きな収入源の一つである。官民とも観光促進に力を入れており、なるべく旅行者が便利になるように、細かいところにも配慮がなされている。なぜ、英語表記をあえて増やさないのか。

近隣国の重視や観光情報の充実など、理由はいろいろとあるであろう。最大の原因はやはり自国の言葉を守りたいという強い思いがあったのではないか。同じヨーロッパ言語ということもあって、英語の影響力は圧倒的に大きい。下手をすると、同化されかねないから、英語を脅威と感じたのであろう。いずれにせよ、少なくとも欧州から見ると、英語は決して世界語ではなく、あくまでも多くの言語の一つに過ぎない。

言語の多様性は人類文化にとってきわめて重要である。この考え方はいま国を超えて多くの人たちに共有されるようになった。

世界には七千種類の言葉があるが、その半数ほどが絶滅の危機に瀕しているといわれている。また、山間部やジャングルなどでは、声を遠くまで届けるための口笛言語も七十種に及ぶ。しかし、操れる人が少なくなり、しかも高齢化している。そうした問題に専門家が警鐘を鳴らしただけでなく、欧米ではメディアでも報道され、希少動物ならぬ希少言語を保存する動きも出ている。

英語重視は必ずしも問題ではない。ただ、本当の「国際化」のためならば、もっと視野の広い外国語教育のビジョンが必要であろう。ましてやマインドが英語至上主義に蝕まれているのならばもってのほかである。

記憶力　人間形成に不可欠

一部のメディアの報道によると、高校の日本史や世界史の教科書で使われる歴史用語を現在のおよそ半分程度の千六百語ほどに減らす提案を、高校や大学で歴史を教える教員からなる団体がまとめたという。外国人名ではたとえば、ガリレオ・ガリレイ、日本人名では坂本龍馬や上杉謙信なども削減の候補リストに含まれている。

教育現場では、長年来、教育のあり方や教育改革について議論してきた。「詰め込み教育」や「受験戦争」に対する反省から、記憶を中心とする教育方法は広く批判を受けた。それを受けて、文科省も記憶力重視の教育を見直し、思考力を高める教え方を提唱している。前述の提案は文科省のそうした意向に沿い、高校における歴史教育の改革を試みたものである。

歴史用語を削減する理由として、「歴史的な思考力」を高めることが挙げられている。しかし、歴史用語を削減したら、「歴史的な思考力」が果たして高まるのだろうか。

知能とは認知力、学習力、記憶力、分析力など多様な能力の総合を指し、記憶力だけがあたかも思考力にとって有害なもののように考えるのはまちがいである。知識はいわば思考の食糧のようなもので、知識を記憶することで思考がはじめて可能になる。そのことは幼児の言語学習の過程を見れば明らかである。語彙力も言語規則も一つずつ覚えることによって身につけるもので、記憶しなければ、言語能力は獲得できない。

「歴史的な思考力」も同じである。過去に起きた事象を分析し、判断する能力だから、歴史知識がなければ、「歴史的な思考力」を高めることもできない。

そもそも「思考力」とは何かは、いままさに問われようとしている。近年、ＡＩ（人工知能）が長足の進歩を遂げ、高度のＡＩを持つロボットがピアノを演奏したり、油彩画を描いたりすることができるようになった。人間が長年の練習を積み重ねてようやくできる演奏スキルや絵画の製作技術を、ＡＩはいとも簡単にやってのける。しかも、その完成度は専門家の手になるものと甲乙がつけがたい。

驚くべきことに、囲碁や将棋の世界では人間がもはやＡＩに太刀打ちできないところまで来ている。音楽演奏や絵画製作と違って、囲碁や将棋の対局では相手の布局を見て、臨機応変に次の打ち手を考えなければならない。「思考」は論理的な推論を経て、問題解決の最善策を練り出す過程であるならば、ＡＩも思考している、と考えてもあながちまちがいではないだろう。

急速に開発されたＡＩの高い知能は、深層学習（ディープラーニング）技術の進化に由来するという。深層学習とは大量な情報の記憶で、その本質は機械学習つまり記憶である。ロボットだから疲れを知らずに、ひたすら情報を覚えることができる。膨大になる情報の量は、分類、検索、抽出、参照、分析などの作業を経て処理され、そこから最適解が導き出される。ＡＩには思考力があるかないかはともかくとして、問題解決の能力があることは誰も否定できない。その能力はほかでもなく、機械的な「記憶」から来ている。

人工知能の技術が日々発達した今日、記憶は機械に任せればよい、という考えも当然あるであろう。しかし、教育はたんに知識を学び、豊かな感情を育むだけでない。訓練を通して脳の力を開発するのも重要な役目の一つである。青少年時期には人間の脳の可塑性が高い。「記憶力」はその一つである。小中高校などそれぞれの段階で訓練しないと、最適の時期を逸してしまう。重要なのは何を覚えるかということではない。記憶力という生来の能力を引き出し、それをさらに伸ばすのが人間形成にとって欠かせない訓練の一つである。

アメリカといえば、個性の自由な発展を重んじ、記憶力をあまり重視しないという印象があるであろう。しかし、SATテストを見てもわかるように、アメリカ史の試験は記憶力を問う設問がほとんどで、国語のテストでも暗記が求められる単語力の問題が多数出題されている。

もちろん行き過ぎはよくないが、記憶力を高めるための適度な訓練をおろそかにすると、いずれ九九もできない高校生が現れてくるであろう。いまから警鐘を鳴らすべきである。

世界の変化に関心持とう

あまり目立たない動きだが、大学では海外向けの日本発信を目指す学部や研究科の新設が増えている。実をいうと、筆者の所属先もその一つである。今年で設立十周年を迎えたのだから、同様の学部のなかでも、「先発組」のほうであろう。

そうした教育機関では概ね二つのことが並行して行われている。一つは日本語のできない留学生に英語によるカリキュラムを提供することである。英語だけで日本の大学を卒業し、あるいは学位を取得できる。もう一つは、日本人学生に対し、英語教育を強化し、海外に日本を発信できる人材を育成することである。

そうした学部や研究科の設置にはそれぞれの大学の事情があり、教育目的も必ずしも統一されているわけではない。そのことに気付いているのか、昨年、文科省の意向もあって、京都にある国際日本文化研究センターでは、横の連携を強化し、情報の共有と研究資源の共同利用に便宜をはかる組織「国際日本研究」コンソーシアムが作られた。

今後、どのように展開するかは、まだ模索中だが、現場にいる一人の教員として、海外日本文化発信をめぐって誤解が少なくないことを感じている。留学生教育よりも、日本人学生教育のほうに問題が多い。

一つは「井の中の蛙」という落とし穴である。一部の学生は「日本文化とは何か」を知らないまま、「海外向けの日本発信」をしようとしている。そうでなくても、テレビでは「日本はこんなに素晴らしい」のような番組は多数放送され、「自信」だけは日々強くなっている。そのわりには、外の世界や新しいことに向ける関心は稀薄だ。情報は手軽にアクセスできるのに、世界がどう変わっているかはあまり知ろうとしない。

もう一つはボーダーレス化という現実から目を背けることである。いまや東京でも、ニューヨークやパリでも、上海やソウルでも人々は似たような服装を身につけ、似たようなものを食べ、同じ映画を見、同じファッション情報を手に入れている。情報通信の技術革新やＡＩ技術の発展には目を見張るものがある。そうした進歩は国境を超えた研究の展開と協力と密接な関係があり、情報共有や学術交流が盛んに行われている結果である。研究の世界でも産業界でもボーダーレス化は早くから起きている。

メディアでも報道されているが、近年、インターネット経由で海外の仕事を請け負う、新たな労働市場が世界に広がりつつある。ギグ・エコノミー（Gig economy）と呼ばれるこの新しい雇用形態はデジタル経済の追い風を受け、いま拡大を続けており、七年後に三十七兆円の市場になるという予測もある。もはや移住しなくても、自分の国にいながら、外国の会社で働く時代はすでに到来している。

ボーダーレスの動きは身近にもある。先日、厚生労働省は昨年十月末時点の外国人労働者数が百二十八万人弱に達した、と発表した。実際、東京のコンビニもスーパーも外国人従業員に出会わない日はない。建築業や製造業現場はおそらく外国人労働者なしには成り立ちにくくなるであろう。

文化も国境も、ひいては人間の感性も永遠に変わらないものではない。先日、学生との雑談中、偶然『忠臣蔵』のことが話題になった。意外なのは、『忠臣蔵』の映画やテレビドラマを見ていない人が多い。見た人も「あまり面白いとは思わない」とか「昔の人たちの考え方はピンとこない」と言っている。

かつて『忠臣蔵』を見ないと、お正月を迎える気にはならない、と豪語する人もいたが、いまは視聴者層が高齢化し、若者はあまり見なくなったらしい。それもそのはず。昔は「愛国心」ではなく、「愛藩心」こそ美徳だったからだ。『忠臣蔵』に代表される感性はいまの時代に合わなくなったのかもしれない。

もともと文化は大河のように流れるもので、同じ川でも今日の川水は昨日の川水と同じものではない。文化アイデンティティはむろん大事だが、独りよがりの世界に閉じこもっていては、進歩はない。

とくに若い人たちにとって、日本文化の海外発信よりも、世界の動きを鋭敏にキャッチすることのほうが大切なことだと思う。教育改革もそのことを視野に入れないと、方向性を見失ってしまうことになる。

キャリア変更できる社会に

先日、知人から一通のメールが届いた。いまの会社を退職し、時間をおいて再就職の活動を開始するという知らせだ。若い人なら、よくあることだが、このメールの発信者は事情が違う。定年になってからも会社に残って働き続けているが、今年は人事異動が原因で、退社を決めたという。子供はすでに独立し、本人も経済的な不安はとくにない。定年後も働きたいというのは、肉体的にも精神的にもまだ現役が続けられるからだ。前の会社をやめても、「定年万歳」の生活を満喫するのではなく、あえて転職して、働き続ける道を選んだ。

内閣府の『平成二十九年度版高齢社会白書』によると、平成二十八年、六十五歳以上の高齢者人口は三四五九万人になり、高齢化率も二七・三パーセントに達したという。もはや高齢化社会を通り越して、超高齢化社会に突入している。まわりを見ても、「君もシワシワ、われもシワシワ」といった有様である。

シワはシワでも、元気なうちには社会に役立ちたいものである。人間は集団生活の動物で、社会に取り残されると、精神的に不安定になりがちだ。現代社会の人間は職業を通して社会参加しているから、定年になれば、他者との社会的なつながりは勢い少なくなるであろう。

近年、各方面の努力の甲斐があって、高齢者の継続雇用や再雇用の機会はひと昔前に比べて著しく増えた。かつて低く抑えられている賃金も改善する兆しが見え始めている。

しかし、高齢社会の対策として、それだけでは十分ではない。人生百年の時代を迎え、人々の価値観も変わりつつある。これまで一生の働く時間はだいたい四十年前後と考えられている。いまは七十歳になっても現役を続ける人がいるから、生涯の労働年数は十年延びることになる。そこで、可能になったのはキャリアチェンジへの再挑戦である。子供の独立、あるいは中年を過ぎるのをきっかけに再び大学や大学院に入り、まったく新しい専門に挑戦することができるようになる。

筆者は八年前から、生涯学習開発財団の「博士号取得支援事業」の仕事を手伝っている。このプログラムの特徴は支援の対象が五十歳以上の申請者に限定することだ。日本では大学院生やポスト・ドクターなど、若手の研究を支援する奨学金が数多くあるのに、五十歳以上を対象とするものは、筆者の知るかぎり、前述の財団だけである。前理事長は七十歳を過ぎてから博士号を取得した経験から、中高年のキャリアチェンジを支援する必要性を痛感し、八年前にこの支援事業を立ち上げた。

いざ、始動してみれば、博士号の取得をめざし、大学院に通っている中高年者の多さに驚いた。文系の学部卒業生が大学院への進学を敬遠しがちなのとは正反対に、中高年者は学習意欲が高い。仕事をしながら、大学院に通っているから、仕事と学業を両立させるのは決して容易なことではない。にもかかわらず、多くの人はさまざまな困難を乗り越え、見事に学位を手に入れた。これまで助成を受けた人のうち、半数以上の三十三名がすでに博士号を取得している。目を見張るような成果である。

いまこそ公言してもいいが、この支援事業がスタートした当初、筆者は期待と同時に、一抹の不安もあった。というのは、博士課程を修了した若手研究者でも、大学や研究機関でポストをえるのはたいへん厳しいからだ。なかには四十代や五十代になって、ようやく教職についた人もいる。五十歳以上の博士号支援事業の採択者は年齢的に不利なのは明らかである。果たして、学位を取得後にその知識と才能を生かせるのか。筆者の心配はそこにあった。

ところが、時代の動きは思ったよりも早い。五十歳以上の博士号取得者のなかに、その専門を生かした仕事についた人は次々と現れている。昨年に限っていうと、大学教授になった方もいれば、准教授や専任講師に採用された方もいる。このプログラムにかかわっている者にとってじつに喜ばしいことである。今後、人生の前半は会社員、後半は弁護士や気象予報士、あるいは前半は教師や公務員だが、後半は会計士や建築士になる人が現れてもおかしくないであろう。というより、ぜひそうなってほしい。そうすれば、たとえ少子高齢化がさらに進んでも、年金や医療などの社会保障制度が破綻する危険性が低下し、社会の活力は失われずに済むのである。

広がる世代間の文化断絶

この一、二年の就職事情は学生有利の売り手市場といわれ、とくに二〇一八年はかつてないほどの好況ぶりである。

「先生、内定を五つももらったよぉ、どうしましょう」

と、うれしい悲鳴を上げるお調子者もいた。就職超氷河期のことを思うと隔世の感がある。二十年ほどまえに、新年を過ぎても就職が決まらない学生が多く、教員も学生とともに一喜一憂したものだ。ただ、就職で苦労したためか、ようやく職を手にした学生は得難い機会をことのほか大切にしていた。数年ぶりに本人に会ったりすると、みな満足そうな顔をしていた。

そんなことを思ったのも、先日、一年ほど前に卒業した学生から転職の相談があったからだ。一部上場の会社に就職し、仕事も順調である。それでも転職を考えたのは、住居手当は不公平なところがあり、残業手当の計算法にも若干不満があるからだという。はた目から見れば、どれもささいなことで、何も転職するほどのものではない。第一、会社を変えても、状況がよくなる保証はないし、むしろいまのような恵まれた仕事の環境と円滑な人間関係が望めるかどうかは不安だ。

ひと昔なら、つい説教したくなるが、いまは「頑固おやじ」の美学はもはや通用しない。それどころか、「いまの若者は！」と思った瞬間、もうこっちの負けである。時代は時代だから、現代っ子の声にも辛抱強く耳を傾けなければならない。実際、転職が当たり前のアメリカでは一生同じ会社に勤務するのはむしろ珍しい。雇用側は新陳代謝のために社員を頻繁に解雇するし、社員も自らの力を試すためによく会社を変えている。長期間雇用のメリットは確かに多いが、世代交代が進むにつれ、日本でも将来、勤務形態の多様化の時代が来るかもしれない。

情報技術やＡＩ技術の進化のためか、近年、世代の違いによる認識の差が大きく開いている。終身雇用にこだわらない人は多くなり、家庭を持ってからも、仕事を続けたいという女子学生は増えている。結婚したい年齢についてアンケートを取ると、女子学生でも二十八歳から三十歳と答えた人が多い。理由を聞くと、独身生活を楽しみながら、キャリアを磨きあげたいという。

平均読書量は世代ごとに少なくなっているかわりに、情報機器を操作する能力は高い。神アプリを使って、動画鑑賞や各種の検索はもちろん、携帯での支払いから、フィンテックにいたるまで何でも器用に使いこなしている。先日、大学院の授業中、コピーしていない資料があることに気付いた。印刷室に行こうとしたら、一人の学生は、スマホで写真を撮り、ＳＮＳを使って、あっという間に受講生全員の手に渡った。その手際の良さに感心したら、「そんなことで驚く時代じゃないよ」と思いっ切り笑われた。

テクノロジーの急速な進化に伴い、年齢層によって、それぞれの文化が出来上がり、複数の文化が一つの国家のなかに混在するようになった。

人類は長いあいだ、上の世代の文化が次の世代へと、代々受け継がれてきた。その間、むろん変化もあったが、変わり方が緩やかであった。いまは変化が速いだけに、世代間の文化の断絶はかつて想像もできないほど大きくなっている。

日大アメフトの悪質タックル問題は大きな社会的な反響を呼び、指導に当たった監督とコーチが関東学生連盟から除名処分を受けた。この問題の本質は大方の指摘されたとおりで、ここでくり返すつもりはない。個人的に印象に残ったのは、監督とコーチの記者会見で語った「本音」である。いわく、自分たちが伝統と思っていることは、若い人たちはそう思っていない、そのことには気付かなかった、云々。たぶんに責任逃れの弁解だが、一面において、旧い世代の戸惑いを表わしているであろう。

「伝統」や「しきたり」は無条件によいものなのか。そもそも「伝統」とは何か。昨日までは伝統でも、今日は時代遅れになり、ひいてはルール違反になることもある。時代が急速に進んでいるいま、無条件に「継承」するのではなく、時代の価値観に合うかどうか、まず見極めるべきである。

世界の最新の動き知ろう

若者は海外留学に行きたがらない。そのことは以前からいわれているが、状況はいまもそう変わらない。筆者が勤務しているのは国際系の学部で、二年の後期から在学生を海外留学させている。その分、留学経験者はほかの学部より割合が高い。

それでも、海外留学に意欲を示さない者もいる。理由はさまざまだが、経済的な原因ならともかく、東京の居心地がいいから、わざわざ海外留学をしなくてもいい、という声を聞くと、やはり首を傾げたくなる。

留学だけではない。海外旅行に興味のない学生もいる。筆者はつねづね在学中に二つのことをしてほしい、と学生に言っている。一つはなるべく多くの本を読むことで、もう一つ海外旅行をし、世界を知ることである。ところが、学生たちの反応はいま一つである。海外旅行が嫌いというわけではないが、外国のことを知りたくて、何としてでも旅行しようと思う学生は、ひと昔前に比べてずいぶん減っている。

筆者はこの現象を「井戸の中の蛙化」と呼んでいる。彼らは何となく日本は先進国で、アメリカやヨーロッパを除いて、ほかの国々はみな立ち遅れていると思っているらしい。とくに日本のまわりの国については知らないことが多い。

原因の一つとして、テレビの影響を挙げることができる。この十数年来、民放の内容劣化に目を覆いたくなるものがある。どのチャンネルを見ても、世界の大きな問題や各国の最新発展を紹介する番組は少ない。そのかわり、バラエティ番組では、日本はすごいぞ、といいたげなものはやたらと多い。きっかけはＮＨＫの『プロジェクトＸ〜挑戦者たち〜』だが、当時はいわゆる失われた二十年の真っ只中で、そのような番組を制作する意味は十分あるし、内容も優れている。しかし、民放が真似をした番組はどれもいま一つである。

自分の国に誇りを持つことは大事なことだが、お国自慢ばかりすると、情報発信はどうしても偏りがちになる。日本のいいところを示すと同時に、いまどんな問題に直面し、次の世代はどのような課題に取り組むべきかについて考えさせるために、世界の最新の動きを正確に若い世代に発信する必要がある。情報提供に偏りがあると、知らず知らずのうちに知識や視野が狭くなり、健全な精神、正確な判断力を養うことの妨げになる。

つい一カ月ほど前、知人の女性は春休みを利用して中学生の息子をつれて上海に旅行した。その息子は最初ずいぶん嫌がっていたが、母親はなかなか見識のある方で、「テレビで見て知ったのは本当のことかどうか、自分の目で見て自分で判断してほしい」と説得した。いざ、現地を訪れると、その息子はおおいに面白がり、行ってよかったと喜んだという。

新聞やテレビを含めて、中国といえば「悪い国」というイメージが流通している。しかし、その「中国」とは中国共産党なのか、中国の民衆なのか、はたまた中国の歴史か中国の文化を指すかはおそらく誰も考えたことはないであろう。どのチャンネルも十年一日のごとくひたすら「中国人はマナーが悪い」という映像を垂れ流している。

その点ではアメリカの対応はまるで違う。アメリカのテレビは中国政府を批判しても、中国の民衆を決して攻撃しない。それどころか、もし偏見がらみの失言をするアナウンサーがいると、すぐに降板させられてしまう。

それにはれっきとした理由がある。十四億の人口はアメリカ製品のいいお客さんである。アメリカ強しといえども、十四億人を敵に回したくない。それどころか、アメリカ政府が人権問題を対中交渉の重要な課題にしているのは、中国人のために戦っている、という姿勢を示すことになる。だから、政府レベルで貿易戦争などの対立があっても、中国人の対米好感度は一向に下がらない。中国で海外留学の第一の希望先がアメリカなのは、そのような民衆感情が作用した結果であろう。

刻々と変化する世界をリアルタイムで知るのはたいへん重要なことである。次の時代を担う世代が世界を知らず、隣国を知らないでは、いずれは取り返しのつかない事態になるであろう。公共性のある放送業界はそのことを真剣に考えるべきだと思う。

学部教育を三年制に

神戸市の公立小学校で起きたいじめ問題は世間を騒がせている。尋常ならぬ現象だが、ほかの学校にもあり、個別の事例ではないという証言もあるから、問題の深刻さ、根の深さには想像を超えるものがあるのかもしれない。

この事件に対し、世間の目はいじめの異常さに集中しがちだが、その裏には教師の劣化という問題が透けて見えてくる。

歴史的にみると、教師という仕事は知識の伝授のみならず、人間精神の健全な発達にも大きくかかわっているとして神聖視されていた。そのような職業の特殊性により、優れた人格を持ち、子供に手本を示すという期待がつねに寄せられている。「教育者」という言葉にはたぶんにそうした期待と敬意が込められている。

高度成長の時代を経て、そうした観念が変容しつつも、イメージとして現在もなおも流通している。一方、過剰な期待がかえって教育を受ける側の不信を招くこともあったし、また、教壇に立つ者にとって、精神的重荷になることもある。そのため、教員も普通の人間である、という声は教育現場からも上がっている。

そうした経緯もあって、教師のあり方は基本的にそれぞれの国の法律によって規定されていながらも、国家を超えて広く関心が集まっている。ユネスコ政府間会議で「教員の地位に関する勧告」が採択され、市民的権利を行使する自由を認めたのも、その現れであろう。

むろん、教師いじめ問題はほんらい、まったく次元の違う話である。かりに報道が事実であるならば、そうした教員たちは人間としての倫理感覚が問われることになる。「教員も普通の人間」という自己規定には問題はないが、そこからさらにハードルを下げ、ほんらい、超えてはいけない一線を越えるならば、由々しき事態である。

では、なぜ適格でない人が教員として採用されたのか。誤解を恐れずにいうならば、教員養成と採用制度に原因があるのであろう。大学教育について、入試制度の改革が注目されがちだが、教員養成制度の改革こそ長年、放置されてきた重要な課題である。

諸外国の教員養成を見ると、日本ともっとも近いのは米国である。どちらも大学で教育課程を選択履修し、資格試験に合格すれば、小中高校の教員になれる。一見、同じように見えても、中味はかなり異なっている。米国では普通の公立中学校の教員に修士号を持つ者が多く、博士号の取得者も珍しくない。

欧州は日本と大きく違う。フランスは大学を卒業した後、教員教育センターで二年間の専門教育を受けることが条件になっている。ドイツは教育制度が複雑で、単純比較は難しいが、一般的にいえば、教員養成課程を修了した後、二段階の国家試験を受けなければならない。フィンランド、スウェーデン、デンマークなどの北欧の国は教員養成課程で修士号の取得が求められている。そのような教員養成は大学教育制度と関係している。欧州のほとんどの国の大学は学部の修業年限が三年である。学部を卒業して、さらに教員養成課程で一から三年勉強してようやく国家試験を受ける資格を手にすることができる。教員養成課程の利点は職業倫理教育を強化できることだ。職業としての教員の特殊性を自覚させるには、現在の日本の制度は不十分であろう。

同じく学部四年の日米を比べると、米国は四年間すべてリベラル・アーツの教育である。日本の場合、二年の教養課程と二年の専門課程に分けられているが、実質上、どちらのほうも中途半端という感は拭えない。インターンや就職活動などもあって、最終学年には勉強に当てる時間はあまりない。

ひと昔前、日本の会社は社内教育の体制が整っており、まっさらの学生を採用して、会社が技術や技能を一から教えていた。ところが、終身雇用が崩れたいま、多くの会社は中途採用などで、特定のスキルを持つ人材を採用するようになった。

そうしたことを考えると、学部教育は四年制よりも、欧州の三年制のほうが合理的であろう。営業、一般職の場合、三年の学部教育は十分だし、教員、会計、エンジンニアなどの専門職を目指す人は大学院に進学すればよい。人手不足の現場により早くより若い人材を送り込めるだけでなく、教育などの専門職に職業的な倫理観を持つ人材を時間をかけて育成することもできる。

若者の「草食化」は本当か

年末になると、恒例の流行語や新語の発表が話題になる。その年の世相や流行を反映するもので、振り返ってほほ笑ましく思い出されたり、考えさせられたりすることも少なくない。人間は特定の問題について考えるとき、物事を一つの言葉、一つのイメージで捉えがちである。膨大な情報量に直面したとき、そのほうが情報処理をしやすいからだ。その一方、表面的な現象の裏に潜んでいる真実を見逃したり、ステレオタイプで物事を捉えたりする落とし穴も待ち受けている。流行語大賞のような遊びはともかく、政治問題や社会問題について考えるとき、キャッチフレーズに惑わされない心掛けが必要だ。

少子化の問題について語るとき、しばしば耳にするのは「草食化」や「草食系男子」といった言葉である。「草食系」を言い出した評論家たちによると、男性は「草食系」と「肉食系」の二種類に分けられるという。「肉食系男子」は恋愛に意欲的で、積極的に女性に近づきたがる。反対に「草食系男子」は女性にさほど興味がなく、恋愛には消極的である。現代日本には後者、つまり「草食系男子」が増えており、その結果、日本社会では「草食化」が起きているという。

だが、「草食化」が広く信じられているのは、不可思議なことである。肉食動物の代表格としてまず思い出されるのはトラやライオンであろう。猛獣であるには間違いないが、性欲までもが猛烈というわけではない。肉を食べるから、年がら年じゅう性欲旺盛とはただの誤解にすぎない。交尾回数に注目すると、トラやライオンの性生活はむしろかなり淡白なほうである。トラは二月から五月にかけて、わずか数日の間にしか交尾しない。ライオンの生態には不明な点が多いが、雄雌の交尾期間はやはり数日だけといわれている。つまり、数日間だけ性欲があるが、その期間を過ぎれば、もう一年中、チンタラチンタラである。

肉食動物に比べて、草食動物こそツワモノである。草食動物の筆頭格は何といってもウサギであろう。そのウサギは元旦から大みそかまで発情期で、しかも、性欲が旺盛である。とにかく一年中むらむらしているから、もう手のつけようはない。動物界で性欲が最強といわれているから、肉食動物はまったく歯が立たない。絶滅の危機に瀕しているのはトラやライオンのような肉食動物で、草食動物のウサギではないのはそのためである。恋や結婚に無関心の比喩なら、草食化ではなく、肉食化というべきであろう。

より大事なのは、いまの若者は本当に異性に興味がなくなったかである。そもそも恋愛とは何かは定義が難しいし、実態を把握するのも容易ではない。ましてや、いまの若者が以前に比べて、恋愛をしなくなったとか、異性に興味を持たなくなったことを実証するのは不可能に近い。

しかし、公式の統計数字からは何とか真実を見ることができる。

国立社会保障・人口問題研究所が十八歳から三十四歳までの独身男女を対象に実施した調査に

よると、「いずれ結婚するつもり」と答えた人は九〇パーセントほどを占めているという。その数字は過去三十年の間にほとんど変わっていない。結婚したいという願望があれば、恋愛したいのは当然である。つまり、若者は「草食化」もしていなければ、「肉食化」もしていない。人間の習性はそう短期間のうちに変わるものではない。いわゆる「草食化」は明らかに根拠のない先入観によるものである。

では、なぜ若者が恋愛に興味を持たなくなったという印象を与えたのか。その理由も統計数字からおおよそ推測できる。厚生労働省の「人口動態統計」によると、昭和五〇年代から平均初婚年齢は右肩上がりに上昇しているという。ここ十年、男性は三十歳、女性は二十九歳前後で推移している。若い世代は結婚が遅くなったのは確かだ。結婚が遅くなったから、周りに未婚の若者が増えたと感じたのであろう。しかし、彼らは恋愛をしなくなり、結婚したくないのではなく、さまざまな理由により、結婚を遅らせているだけである。また、未婚化が進んでいるのも本人たちが恋愛や結婚したくてもできない外部の原因によるものだ。

キャッチフレーズは人の心を捉えやすいが、必ずしも正しいわけではない。令和元年が終わろうとしているいま、自戒を込めて、そのことを心にとどめておきたい。

スクールバス導入　ぜひ

昨年（二〇二一年）六月二十八日、千葉県八街市で通学する小学生の列にトラックが突っ込み、児童五人を死傷させた事故が起きた。三月二十五日、千葉地裁で公判が開かれ、梅澤洋被告に対し、懲役十五年の刑が言い渡され、四月八日判決が確定した。

事件を受けて、約一カ月後、八街市は高さ八十センチの防護柵を設置し、車道と歩道を分離した。また、小学校周辺の一点二キロの道路に白線を引き直したと報道されている。

事故の再発防止には必要な措置で、自治体の迅速な対応をしたことは評価すべきである。だが、それだけで十分だろうか、という不安の声は現地住民のあいだで上がっているという。毎年、春の交通安全運動が始まると、新聞やテレビで学童の交通事故についての報道が増えるが、その期間が過ぎてしまうと、すぐ忘れられてしまう。子どもの交通事故はあいかわらず各地で起きている。

警察庁の発表によると、平成二十八年から令和二年に起きた交通事故のうち、小学生の歩行中死者・重傷者は二七三四人。そのうち、四二・七パーセントが下校時の十五時から十六時の時間帯で起こり、一年生から三年生までの低学年は七〇・五パーセントを占めている。

事故がくり返されるのは、一部の通学路に潜在的な危険が潜んでいるからだ。八街市の事件では飲酒が原因だが、車道と歩道が分離されていないことは事件の前から危惧されていた。では、車道と歩道を分離すれば、問題がないのだろうか。

二〇二二年一月十二日午後、群馬県渋川市の国道一七号線で、大型トラックから二本のタイヤが脱落し、直径一メートルもある車輪は猛烈な速度で歩道を歩く通行人に激突し、大けがをさせた事故が起きた。そのあたりは通学の経路でもあり、かりに登下校のとき起きると、悲惨な大事故になったかもしれない。

問題を抜本的に解決するには、アメリカの経験は大いに参考になる。アメリカは日本以上の車社会で、交通事故が多発している。しかも、治安の悪い地域が多く、子供を狙った犯罪も少なくない。

ところが、通学中の交通事故のみならず、犯罪に巻き込まれたこともほとんど聞かない。じっさい、筆者は在外研究中に、娘の通学を心配したことは一度もない。なぜなら、小中学校の学生はスクールバスの送迎があるからだ。

公立学校の場合、近所の学童は親の付き添いで、毎朝、決まった場所に集まる。定刻になると、スクールバスが迎えに来る。帰りも同じ場所に送り、保護者に引き渡してから、スクールバスがはじめて立ち去る。私立学校になると、スクールバスは家の前まで拾いに来る。

さらに感心なのは、スクールバスに関する交通ルールの厳しさと、学童優先に対する市民意識の高さである。スクールバスが児童を送迎するために停車すると、運転席の横から「STOP」という標識を出す。そのとき、双方向の車はすべてスクールバスから距離を取って停車しなければならない。学童が車道に飛び出すのを想定した交通ルールである。違反すれば厳しい罰則が待っている。交通量の多いところでは、警官が近くで交通整理をすることもある。

日本ではアメリカと同じように、スクールバスによる学童の送迎は可能だろうか。文部科学省の学校基本調査によると、令和三年現在、全国の小学生総数は六二二万人ほどで、小学校は約二万あるという。三年生までの低学年を半数とすれば、三一一万人になる。すべての学校に一斉にスクールバスを導入するのは難しいかもしれない。

しかし、スクールバスを部分的、段階的に導入すれば、当面の問題は解決される。まず、学童が交通事故に巻き込まれた通学路や危険性の高い道路を洗い出し、事故がよく起きる小学校でスクールバスを導入する。

不公平感をなくすために、スクールバスを利用する保護者にも少額の実費を負担してもらう。ただし、低収入の家庭には実費の減額や免除を認める。不足分は政府と自治体の補助金で補うなら、予算を抑えながら、すぐにでも実行できる。

実験の段階では、一律強制参加ではなく、スクールバスを利用するかどうかは保護者に委ねればよい。運用状況を定期的に点検し、徐々に改善していく。三、四年もあれば、日本の実情に合うような、独特のスクールバスの制度を確立できると思う。参院選ではどの党からも公約として出していないのは残念だが、一日も早く実現してほしい。

五　コロナという非日常のなかで

情報公開法の不備正そう

最近、大正時代のある文芸評論家の伝記を書いており、その人の生立ちについて調べなければならない。何しろ、明治十年代の生まれだから、一次資料はかなり散逸している。先日、その文芸評論家が埋葬されている京都の寺院に連絡し、寺に所蔵されている過去帳を見せてほしいと申し出た。数日後に寺の執事から、個人情報保護のため、開示できないという返事が返ってきた。その文芸評論家が亡くなって、すでに九十六年経ったにもかかわらずだ。

そのような経験は初めてではない。ずいぶん前のことだが、ある小説家のことを調べようと思って、出身大学の学籍簿を閲覧しようとした。しかし、個人情報保護を理由につれなく断られてしまった。自分の勤務する大学も例外ではない。担当部長と直談判し、何とか説得しようと思ったが、結局、資料を見せてもらえず、部長本人が当該箇所を確認し、口頭で伝えてもらうことにした。

「個人情報の保護に関する法律」は二〇〇三年に成立し、その後、改正があって、現在にいたっている。この法律が施行される前、研究目的の調査なら、どこの窓口も所蔵している資料を気前よく見せてくれていた。

ところが、個人情報保護法が実施されてから、年々厳しくなってきた。いまや役所も学校も企業も「個人」と関係のあるすべての資料を非公開扱いにし、どのような目的でも絶対に便宜を提供しようとしない。

一見、法律順守のように見えるが、その姿勢には大きな問題がある。「個人情報の保護に関する法律」を読むと、第二条には「この法律において「個人情報」とは、生存する個人に関する情報」という文言がある。いうまでもないことだが、存命していない人には適用しないから、ほんらい、開示しても何ら問題はないはずだ。だが、なぜか、その「個人情報」は拡大解釈され、ほんらい、公開してもいい情報も開示できないままになっている。

調べてみたら、担当窓口が依拠したのは「個人情報の保護に関する法律」ではなく、「行政機関の保有する情報の公開に関する法律」であるらしい。その第五条には、「個人に関する情報で」、「当該情報に含まれる氏名、生年月日その他の記述等により特定の個人を識別することができるもの」は開示できない、とある。

人間は誰でも一人の市民であると同時に、社会的な存在でもある。本人が亡くなって半世紀も経てば、個人情報とはいえ、過去の歴史を知るための資料になる。じっさい、江戸時代の将軍の骨でさえ調査研究の対象になっており、武士や町人や農民にかかわらず、すべての個人情報は歴史的資料として利用できる。

明治や大正時代は近代とはいえ、現代人にとってすでに「歴史」になっている。歴史は大人物だけで成り立ったわけではない。最近の歴史研究ではむしろ名もない庶民の暮らしや感情なども注目されるようになった。個人情報という理由で開示しないと、近代史の研究は難しくなる。

歴史研究のみならず、政治学から文学芸術にいたるまで、どの研究分野も同じである。近代史の資料へのアクセスが禁止される状況がそのまま続くと、明治から昭和前期にいたるまでの研究に大きな支障をきたすであろう。

「個人情報の保護に関する法律」の目的は、個人情報が悪用され、本人が不利益をこうむることを防ぐためである。「生存する個人」と規定したのもそのためである。

ほんらい、「行政機関の保有する情報の公開に関する法律」も「個人情報の保護に関する法律」と同じように、「生存する個人」という定義を明示すべきである。ところが、なぜか、この肝心な文言が抜け落ちている。すると、この二つの法律には深い関連性があるにもかかわらず、両者のあいだの整合性は取れなくなっている。そのことについて、これまで誰も気づかなかった。

人間が亡くなったら、個人情報によってこうむるかもしれない不利益はきわめて限定的である。ましてや、一定の期間が経つと、被害をこうむる恐れはまずない。近代に関する学術研究を促す意味でも、一日も早く「行政機関の保有する情報の公開に関する法律」を改正し、「個人情報」に「生存する個人」という文言を追加してほしい。そして、死後五十年経った時点で、個人情報に関する資料をすべて公開することも明記すべきである。

持続可能な成長の代償

中国の武漢市で発生した新型コロナウイルスによる感染症はあっという間に拡大し、中国の国内だけでなく、タイ、日本、米国、韓国をはじめ、十数国で感染者が相次いで確認された。患者数も死亡者数も連日急増し、二〇二〇年一月二十二日深夜、ついに武漢市では全面封鎖という非常事態にまで発展した。感染は果たしてどこまで拡大するか、世界各国は一様に固唾をのんで事態の推移を見守っている。

感染症の拡大防止はむろん当面もっとも大事なことだが、その原因がどこにあるかについても考える必要があるであろう。

新型肺炎を引き起こすウイルスは当初、コウモリからタケネズミやアナグマなどの野生動物に移り、さらに人間に感染したといわれているが、最近、ヘビが媒介する可能性が指摘された。真相を突き止めるにはなお日にちを要するであろう。いずれにせよ、人間と野生動物の距離が近くなり過ぎたことに原因があるのは間違いない。

今回の騒動から少なくとも二つの教訓を引き出すことができる。

人類は長い歴史のなかでさまざまな感染症に苦しめられてきた。近代以降、病原体の細菌を抑える抗生物質が発明され、また、ウイルス感染に有効な予防接種などの対策も確立された。いっとき人類は感染症を根絶できると信じられるまでに至った。

しかし、それはしょせん人間の思い上がりにすぎない。近年、抗生物質の乱用と、ウイルスの変異により、耐性菌や新型ウイルスによる感染症が増えている。人間が自然を征服し、コントロールできるというのは根拠のない自信にすぎないことが再度証明された。

もう一つは人間と自然の関係である。振り返れば、近代以降、人類は絶えず領域を拡大してきた。人口増大に伴う住宅地の開発や都市建設は農地の減少と大規模な森林伐採という結果をもたらした。とりわけ大都市の周辺では山を削り、海を埋め立ててまで市街地を拡大している。さらに、道路拡張、観光地整備、鉱山開発、資源採掘などのために、自然は人間によって手当たりしだい破壊されている。そのあげく、動物の住める地域がなくなるか、以前に比べて生存圏が著しく狭められるようになった。しばらく前に、人里に頻繁に出没するクマが多数目撃されたことが話題を呼んだが、それも野生動物が人間によって活動する空間を奪われ、追い詰められた結果であろう。

いま世界中の国々が「持続可能な成長」を求め、絶えず経済規模を拡大しようとしている。しかし、その代償はとてつもなく大きなものだ。

地球はもともと自己完結したシステムである。そのシステムのなかで、人間と自然、人間と動物は相互依存の関係にある。地球は人間だけのものではなく、ホモ・サピエンスは多種多様な生物のなかの一つの種にすぎない。長い文明史のなかで、人間はほかの生物と共存共生の関係をつくる知恵を蓄積してきた。しかし、近代に入ってから、人間と自然、人間とほかの動物の関係は一変した。食料とエネルギーの需要拡大に伴い、人類は絶えず自然収奪を拡大し、動物をより厳しい環境に追い込み、ひいては絶滅させている。

二〇一九年四月二十九日から翌月四日までフランスのパリで、一三二カ国の政府が参加する「生物多様性及び生態系サービスに関する政府間科学――政策プラットフォーム（IPBES）総会第七回会合が開かれた。公表された政策決定者向けの要約は、人類は地球の自然環境と生物多様性に壊滅的な打撃を与え、約百万種の動植物が絶滅の危険にひんしている、と警告している。

環境汚染などによる生態系の破壊、産業廃棄物や一般廃棄物の増加は野生動物や植物の生存を脅かし、プラスチックごみの問題に見られるように、人類の生存にとっても脅威になりつつある。人間は自己中心の傲慢な態度を変えないかぎり、いつかは取り返しのつかないしっぺ返しを受けることになるであろう。誤解を恐れずにいうならば、新型肺炎をはじめ、さまざまな動物が感染源の伝染病や異常気象は、追い詰められた自然が発した怒りの声であり、警告ともいえよう。

経済成長についてはもう発想転換の時期にきている。自然破壊を前提とする経済成長は強い意志をもって止めるべきである。

次の世代により良い明日を引き渡すためには、政治家にのみ頼るのではなく、市民の一人一人が行動を起こす必要がある。

隔離こそ最も有効な対策

新型コロナウイルス感染症は世界的な広がりを見せている。韓国、イタリア、イランに続いて、米国でも感染者が増加し、連日、死者も出している。南米ではブラジルでの感染が報告され、いまや六十四以上の国や地域に拡大し、五大州のすべてに及んでいる。

政府は「新型コロナウイルス感染症対策の基本方針」を発表し、安倍首相は二月二十九日に緊急の会見を開いて、いまからの二週間程度、国内の感染拡大を防止するため、あらゆる手を尽くすと宣言した。

重症者を入院させ、重点的に治療するのに対し、軽症者は自宅療養を中心に対応する、との措置が取られているが、その程度の対応は果たして有効なのかと思ったら、案の定、その後も北海道をはじめ、各地で感染者の数は増え続けている。

深刻な問題に直面した時、まず、現状を整理し、原因を分析する必要がある。それを踏まえて初めて有効な対策を打ち出すことができる。

現状はどうなっているかというと、感染者に対応する医療体制はできているものの、感染症の流行状況は正確に把握できていない。その原因は感染源を特定できず、潜在的な感染者がほったらかしにされていることにある。

新型コロナウイルス感染症は未知の病気で、まだ治療法はない。伝染力が極めて強く、伝染の経路を確認するのは難しい。

そのような伝染病の根本的な対策は何か。一に隔離、二に隔離、三はやはり隔離であろう。隔離によって感染拡大を止めるのが重要で、治療は二の次である。ＰＣＲ検査の体制に限界があることは十分承知している。しかし、隔離とは、何も感染者だけを対象とするものではない。感染の疑いのある人も隔離すれば、状況の一層の悪化は避けられるであろう。無症状の感染者がいるのは確かに厄介だが、全体から見ると、そうした感染者はやはり少数である。濃厚接触者や感染の疑いのある人、ひいては発熱者をひとまず隔離し、検査態勢が整った時点で、逐次に検査を実施すれば、ウイルスを野放しにすることは避けられる。

「そんなことをしたら、病院は人がいっぱいで、医療が崩壊する」と心配する人がいるかもしれない。しかし、発想を転換すれば、問題は簡単に解決できる。

東日本大震災の時に見られたように、日本には仮設住宅を設置する技術、資材と経験を豊富に持っており、短期間に多くを設置することができる。仮設住宅を臨時病棟に転用すれば、疑似症状のある人や検査を受けられない人を大量に隔離できる。重症者がいないから、少人数の医師は大人数の収容者を診察し、推移を監視することができ、医療資源の不足という問題も最小限に抑えられる。何よりも、市中感染の危険が低くなり、伝染の拡大を有効に抑え込むことができる。

ほかの地域はともかく、北海道など感染が広がっている地域でまず実行してほしい。

武漢の新型コロナウイルス感染症対策はわたしたちに失敗と成功の両面を教えてくれた。失敗とは言論統制と情報隠蔽である。それが原因で、ほんらい早期の取り組みによって抑えられた伝染病を一気に爆発させた。

一方、成功の一面もあった。感染が拡大した後、医療専門家が提案した、隔離と感染源の徹底的な追跡である。

都市封鎖は人権などの問題があり、日本では実施しにくいが、早めの隔離は日本でもできる。実際、武漢ではそれによって、一日四桁の新規発症者診断数はいまや劇的に減少している。

残念ながら、メディアをはじめ、上からの目線で武漢を見ていた人はまだ少なくない。例えば、武漢で体育館などを臨時病院に改造した映像がテレビで流されたとき、「そんなのは病院といえるか」と嘲笑する声が多かった。しかし、大規模な隔離を実施する場合、臨時病院やテント型のモジュール・ホスピタルが力を発揮することは、武漢での実践によって証明されている。

若者に外出の自粛を呼び掛けるのは本末転倒とはいわなくとも、効果は薄いであろう。行動制限をかけるべきは健常者ではなく、その逆である。軽症者や感染の疑いのある人たちを自宅に放置するより、たとえ施設が貧弱でも集中管理したほうが、公共衛生上はるかに有益に違いない。

くり返しになるが、未知の伝染病には隔離という手法しかない。いまならまだ間に合う、と信じたい。

一段と強力な対策必要

新型コロナウイルスは依然として世界中で猛威を振るっており、日本でも状況が日増しに険しくなっている。遅まきながら、四月七日、安倍首相はついに緊急事態宣言を発出した。もし、一カ月前に検査と隔離を徹底していれば、社会的機能を維持しながら、流行の拡大を封じ込めることができたであろう。そのことを思うと、返す返すも残念でならない。

これまでの対策に反省点があるとすれば、関係者の見通しの甘さを挙げることができよう。「PCR検査が少なくても流行状況を把握できるだろう」「クラスターをつぶせば感染拡大は止められるだろう」「死者数が少ないから、感染は広がっていないだろう」「人々の意識が高いから、自粛してくれるだろう」等々。すべての判断は「だろう」を前提にすると、必然的に状況を見誤りがちになる。

今後、何をすべきかを考える上で、アメリカの経験が参考になる。一月三十一日、米国保健福祉省は緊急事態を宣言し、米政府は中国へ渡航した履歴がある外国人および中国からの渡航者の入国を禁止すると発表した。しかし、ニューヨーク州は有効な予防策を取らなかったため、約二カ月後に大爆発を招いた。

新型コロナウイルスは謎だらけで、感染力は恐ろしいほど強い。この強力なウイルスと戦うには、緊急事態宣言の内容では不十分であろう。ニューヨーク州の失敗を教訓に、次のことにただちに着手すべきだと思う。

一つは大規模な検査、厳密な隔離と行動制限の一層の徹底である。相手の居場所がわからなければ、戦いにはならない。大規模検査は早かれ遅かれやらざるをえない。国内の検査体制が不十分なら、欧米の会社に発注すればよい。約二週間もあれば、おおむね現状を把握できる。

感染者の隔離を徹底させることも重要だ。軽症者はもちろん、検査で洗い出した無症状感染者も厳重な管理のもとに置くべきである。アメリカは自宅隔離を実施しているが、住宅条件が違う首都圏には通用しない。

さらに、一段と強力な行動規制が求められる。緊急事態宣言の後、筆者は都内の一部の地域を確認したところ、新宿や池袋などでは確かに人出が激減したが、地域生活圏では人の動きにほとんど変化はない。土日になると、地元のスーパー、公園、空き地などではかえって混雑した。

人と人との接触を八割減らすためには、欧米のように、経済を犠牲にしてでも断固として実施するという強い決意と強力な行動規制が求められる。個人の良識にたよる「自粛」ではなく、時限立法による法的な規制が必要である。

二つ目は感染爆発の準備を早めにしておくことだ。大流行による被害を軽減するためには、最悪の事態を想定し、もはや感染爆発は避けられないという前提で、備えをしておくことが大切である。

前述の行動規制とも絡んでいるが、すべての会社の休業、外出禁止、道路封鎖、物流の確保などについていまから具体的な計画を立てる必要がある。そうしないと、いざとなれば、現場には必ず大混乱が起きる。医療崩壊はある程度、避けられないという想定で、医療従事者の安全と健康を守ることを最優先する。人工呼吸器やＥＣＭＯもさることながら、医療従事者の防護のほうがより切実な問題である。貴重な戦力が失われたら、元も子もない。緊急事態宣言の三日後、関西の基幹病院の医師から驚くべきことを聞いた。病院のマスクは在庫が底をつき、一週間に一つしかもらえないという。そのようなことは絶対にあってはならない。マスク、防護服、ゴーグル、消毒液などの用品は充足させるべきだ。

緊急事態宣言の一カ月は途轍もなく貴重である。「二週間様子を見る」ような、緩い気持ちがあってはならない。各方面は大きな犠牲を払っているから、失敗は許されない。パンデミックを撲滅するためには、世界各国が歩調を合わせる必要がある。欧米が全力で抑え込もうとしているいまは最良の時期である。この絶好の機会を逃してはならない。日本は島国だから、水際検査と監視さえ徹底すれば、海外からの第二波はさほど心配にならない。むしろ足元の火消しが大事だ。

もっとも恐れるのは、一カ月後に感染者数が大幅に減少したが、局地的にまだくすぶり続ける状況である。いったん規制を緩めると、感染拡大はまだ再燃する。終わりなき戦いより、大きな痛みを伴った、抜本的な対策が望まれる。

非常時も公共図書館開いて

振り返れば、二〇二〇年二月以降は新型コロナウイルス感染症に振り回されっぱなしであった。ただ、悪いことばかりではない。考えさせられたり、勉強になったりすることも少なくない。

学校が閉鎖している現在、筆者が勤務する大学でも、いち早くオンライン授業が実施された。ＩＣＴを活用する能力において、学生や若手教員は覚えが早いのに対し、中高年の教員には機械音痴が多い。筆者もその一人だが、授業情報の掲示、課題学習の配布と添削、情報漏洩の対策、学生からの問い合わせの応対など、以前に比べて仕事の量が急増し、日々新しい状況への対応に追い込まれている。

そんなドタバタのなか、先日、新型コロナウイルス特別措置法に基づく緊急事態宣言が三十九県でついに解除された。実施時期の是非はともかく、教育現場にいる人間にとって、いつオンライン授業から対面授業に切り替えるか、授業内容や学習方法をどう調整するかなど、課題と悩みは尽きない。かりに第二波、第三波が来るならば、対応はいっそう難しくなるであろう。

意外な収穫として、まずデジタル化の加速が挙げられる。事務処理ではテレワークが徹底されており、オンライン会議も実現できた。学内文書は以前、捺印した原本が必須だったが、いまはかなり簡略化され、横行していたハンコ文化についに風穴があいた。とりわけ、教授会や各種委員会がオンラインで開かれたのは大いに助かった。新型コロナが去ったあとも、教授会はWEB会議で、ということも現実のものになりそうだ。

実践を通してオンライン授業の効果を検証することもできた。大学講義のオンライン化により、教員はもういらないだろうという議論があったが、実際、やってみたら、そう単純な問題ではないことがわかった。

授業はただ講義ノートをひたすら読むだけではなく、いうならば、教える側と学ぶ側の連携プレーである。教師と学生のあいだに阿吽(あうん)の呼吸があり、講義中に教員はつねに学生の反応を観察しなければならない。受講生の表情や動きを見て、臨機応変に講義内容を微調整したり、話し方を変えたりすることもあるし、質疑応答を適宜に入れたりすることもある。

しかし、オンライン授業では学生のカメラはオフにしているし、たとえ顔が見えたとしても、対面授業のように一瞬で大人数の反応を把握するのは難しい。

むろん、オンライン授業がまったく役に立たないわけではない。たとえば、単純の知識習得なら、オンライン配信のほうが効率はいいかもしれない。

大学院指導やゼミのような授業は明らかにオンライン授業に向かない。なぜなら、少人数のクラスでは参加者の表情や雰囲気を身近で確認するのが重要で、全員が近くにいることが必要不可欠である。カメラの前で発言すると、つい身構えしてしまい、ボディランゲージなど相手の身体的な反応を確かめることもできない。

教育は知識の伝授だけが目的ではない。人間は集団生活の動物で、市民として社会参加をすることは人間として不可欠な営みである。学生にとって、学校は学びの場だけではない。適宜な身体的な距離の把握を通して、集団生活に順応するという重要な意味を持っている。オンライン授業は今後の教育改革において大いに活用すべきだが、対面教育を代替できるものではない。

一方、図書館や資料の所蔵先の閉鎖は教員のみならず、大学院生の研究活動にも大きな打撃を与えたことは改めて思い知らされた。

筆者は緊急事態の発動を見越して、四月七日までほぼ毎日図書館に行って、当面必要な資料を可能なかぎり入手した。それでも三月上旬、国立国会図書館が突如として閉館されたのは完全な不意打ちとなった。

国立国会図書館に所蔵する資料のうち、著作権の保護期間を過ぎた資料はデータベース化され、一部、対外公開されている。しかし、そのなかには国会図書館か指定図書館でしか閲覧できない資料も含まれている。なぜそのような制限がかけられているかわからないが、かりに理由があったとしても、長期閉館中はネットで一般公開にすべきである。

また、緊急事態下であっても大学図書館や公共図書館は閉館する必要はまったくない。貸出業務に限定し、入館者を制限すれば、スーパーよりはるかに安全なはずである。今後、かりに第二波、第三波が起きたとき、ぜひそうしてもらいたいと思う。

大衆なき社会の脅威

小学生はサッカーをし出すと、全員、目の前のボールしか見えず、まわりに何が起きているか、まったく気付かない。大人の世界もそう変わらない。ある問題が起きると、そこだけに関心が集まり、ほかの重要なことが見落されがちになる。じっさい、二月以来、国会の論議からメディアの報道、食卓の話題にいたるまで、毎日ほとんど新型コロナ一色である。

新型コロナとの戦いはむろん当面の最重要な課題である。同時に、これから起こりうる問題を想定して、必要な備えをしておく必要もある。

話はやや逸れたが、二〇二〇年五月二十五日、ミネアポリス近郊の警官による黒人男性の首圧殺事件に端を発し、ここ一カ月あまり、アメリカ各地で嵐のような人種差別抗議デモが起きた。

ボストンのウォーターフロント公園にはコロンブス像がある。去る六月九日、コロンブスの卵ならぬ、コロンブスの頭が何者かに切り取られた。いうまでもないことだが、コロンブスはアメリカ大陸の発見者で、コロンブス・デーが国民の祝日に指定されたほど、尊敬されていた歴史人物であった。今回、先住民を虐殺したということで、抗議者の標的にされた。

デモ隊の怒りはアメリカの建国者たちにも向けられた。ポートランド市では、第三代大統領トーマス・ジェファーソン像に続いて、建国の父と呼ばれるワシントン像も引き倒され、「人種絶滅の植民者」などと落書きされた。

アメリカ特有の人種問題として、あまり報道されていないが、たんに人種問題だけで片付けられないような気がする。いまも続いているデモの参加者は目的が必ずしも同じではない。二〇一一年の「ウォール街を占拠せよ」運動と同じように、そこに映し出されたのは、ますます深刻化する社会分断という現実である。経済格差、教育格差、医療格差の拡大が真の原因で、人種問題は引き金になったに過ぎない。

社会分断の現象はたんに米国だけでなく、先進国をはじめ多くの国に広く見られている。その背後には急速な技術の進化と社会の構造的な変化がある。

産業革命以来、鉄鋼、化学、繊維や機械などが工業生産の主力で、やがて自動車工業、電気工業などが加わるようになった。いずれの分野もすそ野が広く、多くの雇用が創出された。近代的な納税制度により、富の再分配が行われ、所得の不平等はかなりの程度まで抑えられていた。

近代社会は大衆が重要な役割を果たしている。民主主義は大多数による意思決定のシステムで、それを支えるのは大衆の存在であった。新聞や雑誌、ラジオやテレビなどは大衆を相手に情報を提供し、世論形成のための言論自由も保証されている。

ところが、ＩＴ技術の発達によって状況は一変した。デジタル化は急拡大しているが、ＩＴ産業のすそ野が相対的に狭い。専門技術者の関与度が高く、価値産出のわりには雇用創出への貢献度は低い。かつて、産業が発展すればするほど、雇用も拡大されたが、いまはむしろ逆の相関関係を見せている。

一方、従来の産業は海外移転と自動化により、その重要性も相対的に後退した。今後、AI（人工知能）の応用により、雇用人員はさらに減少するであろう。そうした一連の変化により、中間層が収縮し、社会の二極化が進んだ。

デジタル産業は技術度が高い分、生産と市場を独占しやすい体質を持っており、富の集中も起こりやすい。課税による富の再分配は限界を見せ始めている。

従来の社会循環にも変化が起きた。消費者の要望は多様化し、IT技術により、個別化した注文にも対応できるようになった。電子商取引やネットショッピングは日常的なものになり、大量生産、大量消費は終わるべくして終わった。

人間関係も変わりつつある。テレワークは同僚との交流を不要なものにし、ネット情報により、新聞や雑誌の役割が大幅に低下した。今日の若者は新聞どころか、テレビさえ見なくなったという。価値観の多様化により、社会や世論の平均値も取りにくくなっており、SNSの発達により、意見の集約よりも焦点の分散化や対立が多くなった。

近代の政治体制や社会制度は近代工業を前提に創り出されたものである。デジタル化の到来に合わせて、どのような社会を作り上げるかは、今後の大きな課題になろう。IT分野は日進月歩しているだけに、社会分断が問題化する前に一日も早く新しい未来像を模索すべきである。

文化施設の規制に疑問

新型コロナ感染症が世界的に流行し始めてから、早くも半年過ぎた。治療法のない病気の前で世界の人々はなすすべもなく、人類は一夜のうちに中世に戻った。

隠蔽、軽視、慢心、現実逃避、恐怖、責任逃れ、差別、魔女狩り。中世の疫病流行時に起きた現象は現代でも形を変えて世界各地でくり返された。人間のマインドはさして進歩していないようだ。

伝染病対策には奇策はない。専門家の助言に耳を傾け、教科書通りに早期、迅速に対応すれば、被害を最小限に食い止めることができる。病理は古典的ならば、対策も古典的にならざるをえない。しかし、わかりきったことができないのは最大の問題だ。

振り返れば、二〇二〇年三月の初めは感染撲滅の最良の機会であった。せめて緊急事態宣言下の一カ月半を有効に活用すれば、状況はまったく違っていたであろう。本欄では早くから徹底した検査、隔離と行動規制を呼びかけたが、残念ながら、みすみす二回の機会を見逃してしまった。緊急事態宣言のあいだ、巨大な経済的な犠牲を払いながら、ほんらいの目的に達せなかったのは痛恨の極みである。案の定、緊急事態宣言が解除されてから、感染者数はふたたび増加に転じ、現在、憂慮すべき事態にまで発展した。

かりに再度、緊急事態宣言を発出する事態になったら、中途半端な対応だけはぜひともやめてほしい。徹底した検査と隔離が伴わなければ、緊急事態宣言を発しても効果は期待できない。

経済活動を止めないのもありうる選択肢である。ただ、その場合も検査と隔離の徹底は不可欠である。軽症者や無症状者の自宅療養を取りやめ、法に基づく強制隔離を実施しなければ、状況改善の見通しは立たないであろう。

行動規制については、もっと知恵を絞る余地がある。この半年来、感染症についての知見はだいぶ蓄積され、エアロゾル感染の可能性はまだ排除しきれないが、最大の脅威はやはり飛沫感染であることがわかった。経済活動と社会活動を「感染の危険度がある／高いもの」と「ない／低いもの」に分類し、前者に対し、より厳しい防止策を取る一方、感染拡大の恐れのない社会活動に過剰な規制をかけないほうが賢明だ。

前回の緊急事態宣言のときにも疑問に思ったが、博物館、美術館、科学館（以下「博物館」と略称）や図書館の閉鎖は本当に必要だったろうか。実際、これまでそうした施設での感染例はまったく報告されていない。ドアと窓を開ければ、密閉空間にならないし、入場者の会話の禁止、マスクの着用、手指の消毒、入場者の人数制限などの対策を徹底すれば、さほど神経質にならなくていい。さらに、館内の飲食エリアを閉鎖すれば、接触感染も防ぐことができる。室外型の博物館はなおさらだ。にもかかわらず、なぜか感染対策として真っ先に閉鎖されたのは博物館と図書館であった。

現在、博物館は一部利用できるようになったとはいえ、ほとんど場合、事前申請やネット予約などの条件が課されている。人気過熱の企画が難しい現在、事前予約をやめても、見学者が殺到し、過密な状況になることはまずありえない。すでに夏休みに入り、子供たちのお出かけもいきおい多くなる。選択肢が少ない中、博物館など文化施設に対する過剰な規制を取りやめ、子供たちの課外体験にできるだけの機会を提供してほしい。人の流れを分散する上でも有効な対策になる。

そのことは、コロナ禍のなかで文化施設をいかに存続させるかという問題にもかかわっている。文部科学省の二〇一一年度の社会教育調査によると、郷土、美術、歴史を含めて、全国に五七四七の博物館があり、そのうち国立は二〇二館、公立は四二四六館、私立は一二九九館あるという。これまで社会教育、生涯学習ならび市民福祉などの面において大きな役割を果たしてきた。

コロナの影響が長引けば、私立の博物館は廃業に追い込まれるであろう。国公立もいつまでも税金にたよるわけにはいかない。各施設には多くの人員が雇用されており、観客の交通移動、宿泊、飲食や購買など、消費をけん引する一面もある。恒久的な閉館は文化財の流失や地域文化の衰退をもたらすのみならず、多かれ少なかれ地方経済にも打撃を与えることになる。当面の難局を切り抜けるためには、感染防止を徹底した上、一日も早く通常の運営に戻ってほしい。

新首相　環境施策に期待

コロナ以来、日常生活のなかで想定外のことが急増した。

昨年（二〇一九年）の春、わが家の一室に天井の雨漏りが起きた。角部屋の最上階ということもあって、何度修理しても直らない。くり返し放水検査をして、問題の箇所を探しているうちに、台風十九号が関東地方を襲った。作業員は千葉県の罹災地域に駆り出され、こちらのほうに手が回らなくなった。幸い、天井に養生シートが貼られていたから、雨漏りの被害を蒙らずに済んだが、部屋の三分の一が使えなくなった。

修理会社はようやく手が空いたと思ったら、コロナが流行し始めた。工事のとき、上層階の窓を経由しないといけない。入居しているのは高齢者で、感染が怖いからといって、がんとして作業員を屋内に入れない。おかげで、むき出しの天井は二年近く放置されたままである。

日常はいかに大事なのか改めて思い知られたが、コロナで気づいたことはほかにもあった。その一つは、わたしたちの生活に「不要不急」のことが多いことである。その最たる例は病院に診察に行くことだ。クリニックを経営している知人に聞くと、コロナ前に比べて、患者数が半減したこともあるという。緊急を要する治療なら、ほんらい感染状況に左右されないはずである。コロナ以前に過剰診療がいかに多かったかが思わぬ形で浮き彫りにされた。今後、医療改革を進める上で大いに参考にすべきであろう。

もう一つの発見は消費しなくてもいいことが多いことである。仕事柄、コロナ以前には研究会などの名目での集まりが多かった。食事会や飲み会と続くから、たんに研究だけでなく、アルコールを目当てにした輩もいた。通常の飲食ならともかく、毎回食べ残しや飲み残しが多いことを考えると、その分、食品ロスは減ったのではないかと反省しきりであった。

無駄な買い物もしなくなった。以前、年末の大掃除に、決まって未使用のものが出てきて、もう何年も使っていないから捨てようかという話はよくあった。いずれも必要だったからではなく、「何となく気に入った」とか「デザインがきれい」といった理由で衝動買いしたものである。いまは行動パターンがすっかり変わり、必要な物を買う以外にデパートなどに行かなくなった。百貨店業界にとって困ったことだが、消費者にとっては生活のあり方を見直すきっかけになるであろう。

今年も世界中で異常気象に見舞われた。五月から七月にかけて、中国の中南部では豪雨が降り続き、七月末の時点で水害は二十七の省、市、区に発生し、被災者は五四八一万人におよぶと報じられている。八月下旬、ハリケーン「ローラ」と「マルコ」が連続してアメリカの南部に上陸し、甚大な被害をもたらした。カリフォルニア州で起きた山火事は延焼し続けており、これまで四国を超える面積が焼失したという。シリコンバレーに自宅のある兄の話によると、山火事の影響で太陽の光は立ち昇ってくる煙や灰燼に覆われ、二百キロ離れたところでも、もう何日も青空を見ていないという。

九月に入って、日本の周辺では台風九号と十号が立て続けに発生した。幸い、列島にはさほど被害が大きくなかったが、朝鮮半島を襲った様子を見ると、やはり尋常でない規模だ。

記録的な水害、風害、高温や山火事など、自然災害の巨大化は環境の変化が大きく影響していると、専門家が指摘している。

実際、ロックダウンによって、世界の二酸化炭素排出量は一年前に比べて一七パーセント減少し、二酸化窒素など有害物質の濃度も例年を大幅に下回った。都市部では青空が戻り、川がきれいになって、姿を消した魚がまだ戻ってきた。

ただ、それはあくまでも一時的な現象に過ぎない。国連は今月九日、世界の温暖化ガス濃度が過去最高に上ったと発表した。コロナ流行中に停止していた経済活動が復旧し、排出量が再び最高を更新したためである。

経済成長と自然保護とどう折り合いをつけるかは、なかなか難しい課題である。経済活動が停止できないことが明確になった以上、太陽エネルギー、風力や水力利用の拡大、電気自動車への切り替えなど環境対策をさらに進めていくしかない。

その問題を解決できなければ、経済成長どころか、人類の未来も危うくなるであろう。トランプ政権がパリ協定を離脱しただけに、新しい首相にはぜひ優先的に取り組んでほしい。

コロナ対策　財政に不安

二〇二〇年も残すところ一カ月あまりとなった。振り返れば、コロナに振り回される多事多難な一年であった。新型コロナ感染症は神の鞭のように、ますます貪欲になり、利己的になった人類の背中を叩きつけ、一年過ぎようとしても、まだ終わりが見えない、それどころか、より困難な局面が待ち受けているかもしれない。

海外に目を転じると、アメリカでは人種問題が激化し、大統領選をめぐる対立は激しさを増している。本稿は投票日当日の掲載となったが、もしかすると、決着がつくまでひと悶着（もんちゃく）があるかもしれない。何よりも、誰が当選しても社会分断の火種は残ったままだ。

ヨーロッパでは新型コロナ感染症の第二波の真っ只中にあり、経済が二番底の危機に瀕している。一方、イギリスのＥＵ離脱をめぐって、双方の意見は真っ向から対立し、交渉次第ではもう一波乱が起こる可能性もある。

トランプ氏がアメリカ大統領に当選して以来、世界は大きく変わった。「アメリカ・ファースト」というスローガンの影響で、大衆迎合主義は世界的な広がりを見せた。多くの国では国民が内向きになり、個人の利益をあからさまに追求するようになった。

個人主義は自立自助の精神となって現れたとき、社会の発展に寄与するが、反面、利己主義のほうに向かうと、社会を引き裂く力になる。自分の自由は他人にとって不自由になるかもしれないし、ましてや見境なく個人利益を追い求めると、待ち構えているのは「万人の万人に対する闘争」という恐ろしい未来である。

自由と平等を享受しながら、自己中心主義に陥らないためにはどうすればよいか。大事なのは「自分さえよければ」のではなく、公共利益を優先させることだ。

先日、研究調査のため、関西方面のホテルを予約した。驚いたことに、Ｇｏ Ｔｏ トラベルキャンペーン適用で、宿泊代の三分の一ほどの金額が戻ってきた。うわさは聞いていたが、まさかこんなに気前がいいと知らなかった。ついでに政府予算を調べてみた。すると、経済産業省のホームページには「観光・運輸業、飲食業、イベント等に対する支援」の予算額は一兆六七九四億円とあった。じつにモンゴルの国民総生産を上まわる額である。

さらに、新型コロナ感染症対策として、総額八兆三一九三億円の補正予算が組まれている。二〇二〇年度の国家税収は六三・五一兆円だから、補正予算はなんとその八分の一を占めている。緊急経済対策として仕方がないかもしれないが、もっと節度のある財政運営はできないだろうかと、つい余計な心配をしはじめた。

去る四月、特別定額給付金が一律に配布されたとき、正直にいって受取るのに忸怩たる思いがした。経済刺激策として打ち出されたが、果たしてその効果があったかどうか、心もとない。何よりも、用途についていまだに調査も検証もまったく行われていない。

思い返せば、バブルが崩壊した後、経済危機の対策という名目で何回も財政出動が実施された。いずれも期待されたほどの効果はなく、残されたのは借金の山だ。残念ながら、その教訓は生かされていない。Ｇｏ Ｔｏ トラベルもＧｏ Ｔｏ イートもアイデア自体は悪くない。旅行関連産業や外食業の回復に役立ったのも確かだ。しかし、どれほどの規模で、どう実施すべきかは、大いに検討の余地があるであろう。

今回のコロナ禍は過剰な消費を見直す機会でもある。Ｇｏ Ｔｏ イート対象店舗を調べたら、銀座・日本橋あたりだけでも千店近くのレストランがあった。リモートワークがさらに浸透する将来、そんなに多くの外食店が必要だろうか。何が何でもコロナ前に戻そうとしたのは果たしていいかどうか、考え直した方がよいかもしれない。

経済刺激策として、あるいは企業救済のために軒並みに莫大な借金をしたのは日本だけでない。欧米の先進諸国も同じことをした。経済活動が正常軌道に戻れば、借金もいずれ返済できるだろうと、甘く見られているようだ。しかし、かりにどこかの国で債務危機が起こったら、連鎖反応で世界が再び深刻な不況に陥るかもしれない。そのときに、もし、財政的な余力がなくなれば、打つ手もなくなるであろう。

目の前の痛みを止めるのも必要だが、将来を見据えた長期的な対策を講じないと、手痛いしっぺ返しを受けることになる。不測の危機に備えるためにも、できるだけ体力を温存すべきだと思う。

学生の精神的ケア必要

いつものように今年度も新入生のクラス担任になったが、新型コロナの影響で四月に予定されていた入学行事はすべて中止になり、担当クラスの学生とまだ一度も会ったことはない。一年生の授業を担当していないこともあって、互いに顔を知らないまま、八カ月過ぎようとしている。夏休みを過ぎたころから、一年生の不満が表面化し、「大学にも行けないし、友だちにも会えない。何のために大学に入ったのか」「一日中、パソコンの画面を見つめ、ブルーライトを浴びる学生の健康をどう考えるのか」など、苦情が噴出した。

学生だけでなく、教員側もフラストレーションがたまっている。聴講する側の反応は確かめられず、一方的に講義するだけでは手ごたえが感じられない。大学は勉強だけでなく、教員と学生の交流も教育の重要な一環である。互いのことを近距離で観察したり、言葉を交わしたりしないと、相手がどのような人間かは実感が湧かない。そうしたこともあって、十一月末になって、学部の判断で「対面交流行事」が実施された。

いざ、会ってみると、思わぬ発見が多々あった。

通常の四月開学なら、新入生はまだ高校生の雰囲気が抜けきれておらず、どこかに初々しさが残っている。初対面のとき、みな緊張しながらも好奇心がいっぱいで、目を輝かせていた。夏休みを過ぎると、もう大学生ぶりはすっかり板についている。授業をすっぽかす子もいれば、教授の悪い噂をするやつも出てくる。女子学生はお化粧が上手になり、男子学生もいかにも世間ずれしているようだ。二年生になると、上級生にしごかれながらも、新入生を振り回したり、丸め込んだりすることができるようになる。

ところが、七カ月遅れの新入生はかなり印象が違う。見た目では一年生後期の大学生と変わらないが、新入生の初々しさはまったくない。それもそのはず。オンライン授業とはいえ、一学期以上、講義を聞き、宿題の提出やレポートの作成も経験した。その一方、大学のリアルについては何も知らず、案内する上級生とどう間合いを取っていいか、戸惑っている様子である。何しろ初登校だから、キャンパスツアーのとき、みな興味津々であった。電子掲示板の利用から、図書館の自動貸出や自動証明書の発行にいたるまで、すべてが新鮮に映るらしい。つまり、身体と精神のあいだにずれが生じ、前者は時間とともに前に進んだが、精神の時計はまだ四月一日に止まったままである。何気なく心境を尋ねたら、家にこもっている分、ストレスがたまりやすいという。

ボランティアで案内役を務めているのは現役の四年生である。ついでにコロナの影響について聞いたら、就職先が決まったが、四カ月後に社会人になると思うと、やや不安があると同じく精神的なストレスを感じているらしい。そういえば、三年生はいつも春学期から就職活動をはじめ、ゼミの直前や直後に面接があると、男子も女子もスーツ姿で登校してくる。就職活動を通して、社会人としてのマナーや常識を身につけ、意識の上でも徐々に社会人になる準備ができるようになる。ところが、今年の就職面接はオンラインで、友だちとの情報交換もＳＮＳか電話である。社会人になるといっても、何か抜け落ちているようだ。

新型コロナ感染症が学生に与えた心理的な影響は決して小さくない。朝日新聞と河合塾が共同で実施した「二〇二〇年度緊急調査」によると、全国の国公私立大のうち、少なくとも一九〇の大学は今年度末に「経済的理由による退学・休学者」が増加すると予想しているという。経済的な理由だけではない。今後、孤立による精神的なストレスも退学・休学者も増えるであろう。

若者だけではない。警察庁が二〇二〇年十一月九日に集計した十月の自殺者数（速報値）は二一五三人で、前年同月比で三九・九パーセントも増加した。コロナの長期化がその一因になったのはまちがいない。

アメリカは臨床心理医学が発達し、心理カウンセリングを利用する人が多い。それに比べて、日本には臨床心理士は少なく、その存在さえあまり知られていない。多くの地方自治体には「総合相談室」や「心理相談」のコーナーが設けられているが、ほとんどが子育てか教育を支援するためのものである。これからコロナ関連の専門相談コーナーを設け、悩みを抱える人たちに精神的なサポートをぜひ提供してほしい。

長期化見据えて予備案練る

新型コロナ感染症が発生してから、あっという間にまる一年過ぎた。中国の武漢で発生した公衆衛生の危機が十二カ月後に世界的な感染症大爆発に発展するとは当初、誰が予想したであろう。

二〇二〇年四月七日付の本欄では緊急事態宣言の発出にあたって「もっとも恐れるのは、一カ月後に感染者数が大幅に減少したが、局地的にまだくすぶり続ける状況である。いったん規制を緩めると、感染拡大はまだ再燃する。終わりなき戦いより、大きな痛みを伴った、抜本的な対策が望まれる」と呼びかけたが、残念ながら憂慮していたことは現実になった。

感染症の封じ込めの成否はすべて初動の速さと対策の徹底にかかっている。感染拡大を抑えながら、経済を早く回復さようとする各国政府はせわしくブレーキを踏んだり、アクセルを踏んだりしてきたが、事ここに至っては、完璧な感染抑制は難しく、切り札はもはやワクチンしかない。目の前の対策はむろん最重要だが、将来を見通した上での戦略も必要であろう。

というのも、感染拡大がなお続いているにもかかわらず、将来の見通しについて何となくある種の楽観ムードが漂っている。経済関係者は早くも終息後の成長を予測し、株価も米国をはじめ経済の実情に反して上がり続けている。果たしてワクチン接種が始まったら、すべての問題が解決されるのだろうか。

確かに、結核や天然痘などのように、ワクチンの接種によって、感染症が劇的に抑制される可能性はある。ただ、新型コロナのワクチンは効果も副作用もなお不明な点が多い。インフルエンザの場合、ワクチン接種による抗体は五カ月ほどしか持続せず、ウイルスが変異するため、何度もかかることも珍しくない。幸い、人間はインフルエンザと付き合う歴史が長く、免疫力も持つ人も少なくない。高齢者を除いて、肺炎になるのは稀である。

同じコロナウイルスによる病気として風邪を挙げることができる。古いタイプのコロナウイルスが原因だが、いまだに治療薬もなければワクチンもない。この種の風邪に対しても、人類は抵抗力を持っており、ほとんどの場合、死に至ることはない。しかし、集団免疫ができるまで、数百年以上の時間がかかったのかもしれない。その間、おそらく数えきれないほどの人が犠牲になったのであろう。人間は長い時間をかけて、ようやくインフルエンザや風邪のウイルスと共存できるようになった。

新型コロナウイルスはわずか一年で三つ以上の変異種が現れている。ワクチンの効果を確認するには長い時間がかかり、いまの時点では、ワクチンの接種さえ徹底すれば、集団免疫が獲得され、すべてがコロナの前に戻れるという保証はない。目下のような感染拡大が終息しても、二〇〇九年の新型インフルエンザを超える規模の流行は今後の五年から十年のあいだに世界各地でくり返し起きる可能性は排除できない。

かりに新型コロナが長期化、あるいは周期化すれば、最大の影響を受けるのはやはりサービス業であろう。日本経済に占めるサービス業の比率は七割といわれているが、かりに新型コロナの感染がくり返し起きるならば、一時的な対策は役に立たなくなる。外食、娯楽などの産業は存続が危うくなり、それに伴って、失業者が増え、生活困窮者が街に溢れ出すかもしれない。不況から脱出するため、経済出動をくり返せば、財政破綻に追い込まれる事態になりかねない。

これまでの政府の政策の策定は高齢社会を前提にしている。かりに新型コロナの波状攻撃が続けば、人生百年どころか、人生八十年もただの戯言（たわごと）に過ぎない。数年も経たないうちに、平均寿命は七十歳台か六十歳台に下がるかもしれない。医療福祉の負担が減り、年金事情も改善されると思う人がいるかもしれないが、急激な人口減少により、消費が落ち込み、経済にとって大打撃になるであろう。毎年、コロナ対策で財政支出が大幅に増加するにもかかわらず、税収は減り続けるという状況に陥るかもしれない。

むろん、ワクチンの接種でコロナ禍が一気に収束すれば、それに越したことはない。一方、万が一に備えて、最悪のシナリオに対応する準備もまた必要がある。

新型コロナは経済に大きな影響を及ぼすだけでなく、人類文化のあり方を大きく変えるかもしれない。それを見据えた上での予備案も検討すべきである。

オンライン授業に潜在力

コロナは社会にとっても個人にとっても、思いもよらぬ災害である。そのことはいまさらいうまでもない。ただ、何事も悪い面ばかりではない。コロナによって気付かされたこと、コロナから習ったことも少なくない。たとえ失敗があったとしても、そこから得た教訓を生かせば、将来のために役立つであろう。実際、香港、台湾や韓国などの国や地域はSARS（重症急性呼吸器症候群）やMARS（中東呼吸器症候群）での経験がコロナの対策に生かされ、一定の効果が挙げられている。

教育現場にいる人間として、オンライン授業を体験できたのは大きな収穫である。以前、放送大学の特別講義を担当したことがあり、対面によらない授業を経験したことはある。しかし、いざオンライン授業を実施してみたら、やはりテレビやラジオを通じての講義と違うことがわかった。テレビを通じての授業は誰に向かって講義しているか実感がわかない。それに対し、ネットを通じてのオンライン授業は受講生との距離は近い。大人数受講の場合、学生はカメラをオフにしているから、顔は見えない。しかし、名前が画面に映っているから、誰に語り掛けているか、一目瞭然である。受講生は講義を聴きながら、チャット機能を利用して質問できるし、「反応」

機能を使えば、マークで意思表示もできる。毎回レスポンス・ペーパーを大学のサイトを介して提出させれば、質問、疑問だけでなく、講義内容について感想を聞くこともできる。

大学教育はおおよそ二種類に分けられる。一つはゼミのような討議型で、もう一つは知識伝授型である。前者の場合、対面授業が望ましいが、知識伝授型の講義科目はオンライン授業でも対面授業とほぼ変わらない教育効果がえられる。

オンライン授業がもっとも力を発揮するのは生涯学習教育であろう。筆者は生涯学習開発財団の「博士号取得支援事業」の仕事を手伝わせていただいているが、近年、生涯学習は人生設計においてますます重要になっていることを実感した。

この支援事業は発足してからすでに十年になるが、近年、様相が一変した。かつては定年になってから一念発起し、博士号の取得を目指す人が多かった。年齢を見ると、六十歳から七十歳前半が多くを占めていた。彼らは年金生活をしており、どうしても博士号が必要としているわけではない。誤解を恐れずにいうなれば、暇つぶしのための生涯学習であった。

ところが、近年、博士号を目指す方々には五十歳前後がめっきり多くなってきている。彼らは転職するためか、起業のために高度な知識を手に入れる必要がある。生涯学習はいわば人生を変えるための必須不可欠の手段である。

現役の大学生にとって、大学は学問を習得するだけでなく、人格形成や社会生活を営む能力を養う重要な場でもある。しかし、社会人にとって、大学院に入る主要な目的は学問の習得と研究で、社会生活に順応するための訓練はもはや不可欠ではない。

彼らは仕事を続けながら、大学院での研究を行っているから、余暇や週末の時間しか利用できない。制約の多い対面授業よりも、オンライン授業のほうがむしろ都合がよい。とりわけ、オンデマンド型のオンライン授業は時間の制約を受けないから、勤務外の時間を有効に利用することができる。むろん、実験やディスカッションなどは対面で実施しないといけないが、講義をオンラインで受講しておけば、対面授業は土日で何とかやりくりすることができる。

筆者は在外研究を利用して、アメリカの一部の大学を見学したことがある。アメリカでは生涯学習は趣味や気晴らしではなく、仕事を続けるための必要な取り組みである。とりわけ情報通信や半導体関連などハイテク企業に勤めている人にとって、テクノロジーは文字通り日進月歩の勢いで発展している。仕事を続けるには定期的に大学に通って特定の科目を履修しないと、最新の技術についていけない。担当教員も多種多様で、専任教授だけでなく、最先端技術の研究開発に従事する実務家も多数、教壇に立っている。日本もいずれそうならざるをえないであろう。

国際競争力を高めるためには、今後、企業のみならず、国や地方自治体も生涯学習の後押しをしてほしい。オンライン授業の経験を生かせば、より多くの人が恩恵を受けられるのはまちがいない。

六　羅針盤なき明日へ

子育て支援に法整備必要

先日、卒業生から赤ちゃん誕生の報告があった。ついでに近況を聞いたら、育児や家事で疲労困憊し、産後の回復もままならないという。

「覚悟はしていましたが、こんなにたいへんだとは思わなかったですね。（子どもは）もう一人で十分。二人はとても考えられない」

と、いかにも疲れたような声でこぼしていた。

少子化の問題が語られて久しい。しかし、いまだに改善の兆しは見えない。人口が年に一パーセントの割合で減っていくのはもはや憂慮の域を通り越し、焦眉の急ともいうべき状況になっている。少子化対策の一つとして、不妊治療の助成という政府の新しい方針が発表された。日本生殖医学会の資料によると、健康な夫婦の約一割が不妊で、近年、日本で産まれた赤ちゃんのうち、約五・六パーセントが生殖補助医療を受けているという。不妊治療は高額なため、国による助成は経済的な原因で断念した方々にとっては朗報であり、少子化対策として一定の効果があるのはまちがいない。

一方、なぜ不妊が増えたかについても考えないといけないし、何よりもほかの九割について対策を考えなければ、根本的な解決にならない。じつは、この両者の原因には相通じるところがある。すなわち、子育て支援と女性の働き方の問題である。

女性にとって子育ての負担は一般に思われているよりはるかに重く、子育ての社会的支援はまだ行き届いていない。ベネッセコーポレーションは昨年の秋、〇から一歳の赤ちゃんを持つ女性を対象にインターネットでの調査を実施した。「日本は子どもを産み育てやすい社会と思うか」という問いに対し、「そう思わない」と答えた人は六八パーセントを占め、「そう思う」の一四・四パーセントを大きく上回っている。その理由として「経済的負担」、「職場の理解・支援不足」、「保育施設の不足」、「配偶者の協力不足」などが挙げられている。

もっとも多くの人が挙げたのは「経済的な負担」である。育児にかかる費用と思われがちだが、産休や育休に伴う収入減のほうも大きく響いている。いまは共働きの家庭が多く、妻の稼ぎは家計にとって欠かせないものになっている。総務省が発表した国勢調査によると、一九八〇年から共働きの世帯は徐々に増加し、二〇一五年現在、すでに六四・六パーセントを占めているという。仕事を持つ女性が子どもを産むと、産休や育休の期間中に原則として給料は支払われない。「出産手当金」や「育児休業給付金」を申請できるが、いずれももとの給料に比べて三分の一ほど少ない。しかも、「育児休業給付金」をもらうには一定の要件を満たす必要があり、誰でも無条件に受給できるわけではない。産休に入るまえに仕事を辞めざるえない人にはそもそも適用されない。

この問題を解決するには、「出産手当金」や「育児休業給付金」の増額や受給条件の緩和など、思い切った対策が必要である。新生児は二、三時間おきに授乳しないといけないし、おむつ交換や入浴などほかにも赤ちゃんを世話することが多い。その期間中、ろくに睡眠もとれず、文字通りの過酷な重労働である。ほんらい、お金で解決できる問題ではないが、せめて経済的な支援をしてほしい。そうでないと、子どもを産み育てる意欲はますます低下するであろう。

二番目の理由として挙げられた「職場の理解・支援不足」も真剣に検討し、早急に解決すべきである。企業として生産性を追求するのは仕方のないことだが、改善を促すには、法令による是正しかない。参考になるのは、障碍者雇用対策である。障碍者の雇用に対し、企業が後ろ向きになりがちだが、障害者雇用促進法にもとづき、適正実施の勧告が行われているからこそ、企業も真剣に対処せざるを得ない。子育て支援についても罰則付きの数値目標を定め、国および都道府県の機関が定期的にチェックする必要がある。目標達成できない場合、是正を勧告できる法制度を作れば、企業も協力せざるをえない。

「配偶者の協力不足」も夫の意識というより、制度の在り方の問題である。いまも男性の育休取得が推進されているが、取得率が低いのは目に見えない壁があるからだ。母親だけでなく、父親も六カ月の有給育休を義務付ける法律を作らなければ、掛け声倒れに終わるだけであろう。

少子化問題は時間との戦いで、もはや先延ばしができる余裕はない。緊迫感を持って臨まないと、取り返しがつかないことになるであろう。

ガザ　勝者なき武力衝突

二〇二一年五月十日、パレスチナ自治区ガザで武力衝突が起こり、十一日後、ようやく停戦を迎えた。かと思うと、翌二十二日、エルサレムにあるイスラム教礼拝所「アルアクサ・モスク」の前でイスラエルの治安部隊はまたもやパレスチナ人と衝突した。

遠く中東の地で起きたこともあって、日本ではさほど関心が寄せられていないが、決して対岸の火事ではない。中東の軍事衝突が石油価格の不安定を招き、ひいては世界経済に悪影響を及ぼす、という意味ではない。この地域で起きたことは近い将来を考える上で大いに参考となるからである。

あらゆる国家関係のなかで、イスラエルとパレスチナの関係ほど複雑なものはない。そして、両者のあいだに衝突が起きるとき、当事者だけでなく、外部の人間もしばしば見方が大きく分かれてしまう。

ガザ地区を訪れた人は大方パレスチナ側に同情している。彼らが言うには、一九四八年、イスラエルが建国されてから、パレスチナ人は故郷を追われ、難民として四方八方に散っていった。そのうち、十九万人を超える難民は、わずか八万人しかいないガザに押し寄せてきた。いまガザの人口は二百万人を超えたが、その七割ほどが難民とその子孫である。イスラエル軍によって封鎖されてから、生活物質が不足しており、水の供給もままならない。若者には失業者が多く、市民は不自由な生活を強いられている。人権侵害の状況が続いているにもかかわらず、欧米諸国は見て見ぬふりをしている、と彼らは見ている。

一方、イスラエルのほうに肩を持つ人たちが見たのは別の一面である。ハマスがイスラエルにロケット弾を撃ち込み、一般人に被害を加えている。彼らはテロリストだから、イスラエル軍が攻撃しても仕方はない。

どちら側の言い分が正しいのか。土井敏邦というジャーナリストは二〇〇九年、イスラエル軍による空爆下のガザを訪れ、精力的に現場取材を行った。「ハマスのロケット弾攻撃が、ガザ攻撃の引き金を引いた」とイスラエル側が主張したから、被害を受けたガザ住民はハマスに対する不満や怒りはないか、市民の一人一人にインタビュー調査をした。当初、ほぼ全員否定したが、撮影を止めた途端、ハマスに対する不満を口にする者もいたという。ただ、イスラエルの軍事作戦に対する怒りはみな共通している。

一方、イスラエル側の市民に取材すると、ほぼ全員、ハマスのロケット弾攻撃という恐怖にさらされているという理由で、ガザ攻撃を支持している（『ガザの悲劇は終わっていない』）。十三年も前の現場報告だが、現在も教えられることは多い。

理非曲直はさて置き、ガザをめぐる対立はわたしたちに何を教えてくれたのだろうか。

まず、軍事衝突や戦争が起きると、どちら側に理があるよりも、児童、高齢者や女性などがまっさきに犠牲になるという、重い現実である。子供は何の責任もないのに、まったく理不尽な理由で命が奪われ、一般市民の日常も一瞬にしてめちゃくちゃにされてしまう。

第二、国際関係も人間関係と同じく、和を以て貴しとなすべきであって、むやみに敵意を煽るべきではない。イスラエルとハマスの双方は互いに不倶戴天の敵と見ており、自分のほうこそ正義の側にいると思っている。そのような偏見がいったん出来上がると、冷静な判断はできなくなる。憎しみだけが増幅し、負の連鎖が終わりなく続く。対外感情の悪化は相手に不利なようだが、長い目で見れば、自国の利益を害するものでもある。

最後に、強い軍事力で「敵」を叩き潰すというやり方は必ずしも思う通りにはならない。

今回の衝突で現代兵器の破壊力をまざまざと見せつけられた。イスラエルは圧倒的な軍事力を発揮し、ガザの高層ビルは精密誘導のミサイル攻撃によって一瞬のうちに倒壊した。かりに山野で展開される戦闘ならば、さらに悲惨なものになるであろう。

では、誰が勝者なのか。イスラエルもハマスも勝利したと誇示したが、はた目から見ると、勝者はいない。ガザの住民はいうにおよばず、イスラエルが相手を制圧するために、膨大な軍事支出と社会的な負担が強いられている。このような状況は百年も二百年も続ければ、早かれ遅かれ経済や社会システムが破綻するであろう。平和は高邁な理想ではなく、一人一人の市民の身近な利益と直結している。そのことがいま一度思い知らされた。

画一的な教育　転換必要

二〇二一年六月三日、教育再生実行会議ではポストコロナ期における新たな学びの在り方について、第十二次提言が取りまとめられた。

読みながら、ふと知人との雑談が思い出された。彼は理系の教授で、海外の学界でもちょっと知られている人物らしい。どのような教育がいいかが話題になったが、専門が違うこともあって、啓発されたことが少なくない。

彼はかつて在籍した二つの国立大学AとBを比較し、教育方針により、効果がいかに違うか、体験を交えて話してくれた。

A大学は授業の効果を重視し、学生に対する管理が厳しい。教授の講義がチェックされており、学生の授業出席はIC機能付き学生証でタッチさせて集計されている。それに対し、B大学の対応は緩い。学生が授業をさぼっても、担当教授は把握していないし、あまり気にも留めていない。

結果はどっちがよいか。A大学の学生は平均成績がよく、授業内容の理解度は高い。だが、大学院に進学してきた学生は自ら研究課題を見つけて、研究に取り組む意欲も能力も相対的に低い。

それに対し、B大学の学生のなかに、授業内容に飽き足らず、興味のない授業をさぼって早々と研究室に入り、自分の研究を始める。なかには研究レベルが急速に高まり、卒業時に三、四本の論文を発表したつわものもいるという。

科学研究が日々進歩している現在、世界の最先端に立つためには、創造性のある人材が求められる。研究指導の立場にいる者にしてみれば、A大学よりB大学のほうが人材養成においてはるかに優れて感じるのはいうまでもない。

新卒者を採用する会社はどうだろうか。同じく「人材」とはいっても、経営者がイメージしたのは研究者とかなり違う。ビジネス現場では学問研究の能力よりも、市場分析力、対人コミュニケーション力、情報処理能力や時間管理の能力などが求められている。ビジネスで活躍できる人材ならば、B大学よりもA大学の卒業生が重宝されるかもしれない。

大学はいったい誰のためのものか。どのような人材を養成すべきか。教育の現場ではときおり各方面からさまざまな意見や要望が寄せられてきている。昨年十一月、経団連は将来、活躍できる人材を育成するために、学校教育も教員も変わるべきだとする提言を発表した。人工知能やビッグデータの活用で社会が大きく変わりつつあるとして、教育のデジタル化、職業観を養う教育、実社会での活用につながる学習内容の習得など、具体的な要望が出されている。

現在、教育改革について議論し、提案する組織として、中央教育審議会と教育再生実行会議を挙げることができる。前者は文部科学省大臣の諮問機関で、後者は二〇一三年、第二次安倍内閣における教育提言を行うために作られた私的諮問機関である。両者がどのような関係にあるか、いる。

寡聞にして知らない。いずれにせよ、二つの機関とも一定の間隔で改革案や提言が出されてきている。

学校教育は変化する時代とともに改革する必要があるのは重々承知している。右の二つの諮問機関を見ると、担当委員には教育関係者のほか、財界人や地方自治体の首長、ジャーナリスト、NPO代表など多種多様である。各方面の意見が反映されたのはいいことだが、どの分野の代表もその領域からしか見ていないのも事実である。会議での発言は即興的なものもあるが、まとめられた答申案がいったん実行に移されると、教育の現場に大きな影響を与えている。

教育には一定の周期があり、人材の育成は長い時間がかかる。しゃぶしゃぶのように、さっとお湯につけて一瞬にして出来上がるわけではない。政策や方針がころころ変わるのでは、現場には混乱が生じやすい。

教育再生実行会議の第十二次提言は、新しい学びのあり方を考える上で、「一人一人の多様な幸せであるとともに社会全体の幸せでもあるウェルビーイング（Well-being）の理念の実現を目指すことが重要」だと指摘したが、その点について全面的に賛成である。

ただ、社会のニーズが多種多彩である以上、そのすべてに応えるのは不可能である。むしろ発想を転換して、共通の目標を設定するのではなく、個性的で、多様な人材を育てるべきではないあろうか。そのために、所轄官庁からの、画一的な教育行政指導よりも、各大学に自由な裁量権を与え、受験生に目的に合った大学選びをさせたほうがいいと思う。

「想定外」こそ想定せよ

二〇二一年も全国各地で自然災害が多発している。七月中旬、九州南部や山陰地方で線状降水帯が発生し、一部の地域は集中豪雨に見舞われた。東海地方も被害が出ており、熱海の土石流の恐ろしい光景はまだ記憶に新しい。

日本だけではない。海外の自然災害はもっと深刻である。去る七月四日、アメリカのカリフォルニア北部で大規模な森林火災が発生し、延焼はいまも続いている。真っ赤に染まった空を背景に、炎に包まれた山、焼き尽くされている民家の様子を多くの方がテレビで見たであろう。

七月の終わり頃、トルコは山火事に見舞われ、八月三日現在、百六十カ所以上で火災が発生し、被害を受けた自治体は三十以上におよんでいる。気温が四十度以上に上がり、折から強風が吹いていることもあって、消火活動は一向に効果が上がらない。

トルコに近いイタリアとギリシアでも大規模な山火事が起きている。八月五日の報道によると、ギリシア西部に起きた森林火災はオリンピア（Olympia）の古代遺跡近くにある国際オリンピック・アカデミー（ＩＯＡ）の施設に迫ったという。

水害のほうも世界各地で発生している。七月中旬からの豪雨で、ドイツを中心に壊滅的な洪水が起こり、多くの田んぼ、家屋や列車が浸水した。アジアではインドや中国の一部で洪水に見舞われ、中国の鄭州市では「千年に一度」といわれる豪雨で、地下鉄やトンネルが浸水し、多くの死傷者を出した。

何やら、世界の末日を予感させるような光景だが、山火事の原因として、異常な気温上昇が指摘されており、じっさい、アメリカの西部で史上最高に近い高温が記録されている。また、洪水や集中豪雨などの異常気象は過剰な森林伐採、二酸化炭素の排出などによる温室効果ガスの増加が原因だといわれている。

その解決策として、環境重視の産業政策に転換するのはむろん必要不可欠だが、同時に近い将来を見越した上での災害対策も必要である。

脱酸素社会の実現は一朝一夕でできるものではない。菅首相が第二〇三回臨時国会の所信表明演説で宣言したように、日本は「二〇五〇年までに、温室効果ガスの排出を全体としてゼロにする」ことを目標にしており、EUもアメリカのバイデン政権も二〇五〇年の脱炭素社会の実現を長期ビジョンとしている。二酸化炭素の大口排出国のうち、大半が行動を起こし、あるいは意思表示をしたとはいえ、発展途上国にとって、三十年以内に脱酸素社会を実現することは難しい。かりに二〇五〇年に世界的な規模で実現できたとしても、目標が達成するまでのあいだに、急速な状況改善は期待できない。現在、必要なのは自然災害の激甚化、恒常化に備えることである。

これまで自治体ではハザードマップを作成し、また、自然災害による被害を低減するためにさまざまな対策がとられている。ただ、そうした対策はほとんど過去に起きた災害をもとに考案されたものである。もし、メガ級自然災害が起きたら、従来の経験では対応できなくなるであろう。

巨大な災害が起きた場合、何がもっとも大事なのか。いうまでもなく政治の指導力であり、行政側の臨機応変の対応能力である。近年、「想定外」という言葉は責任逃れの口実としてしばしば使われている。しかし、想定外のことを想定することこそ当事者の責任である。想定すべき状況を想定しないのは一種の業務上過失ともいえよう。

デルタ株によるコロナの感染拡大もそうだが、ほんらい専門家の意見に耳を傾け、爆発的な感染拡大を想定して、先手先手と予防措置をとるべきである。だが、第一波からの経験に頼り過ぎたためか、みすみす好機を逃してしまった。

災害対策として、二〇二〇年五月二十日から避難勧告が廃止され、「避難指示」に一本化された。しかし、甚大な災害が起きたとき、健常者でさえ逃げ遅れることがある。ましてや幼児、高齢者や病人など、逃げたくても逃げられない人がいる。また、地震による地下鉄トンネルの崩落や浸水、海抜ゼロ地帯の急激な増水、未曾有の火山噴火など、ほかにも課題が山積している。残念ながら、そうしたことについて、まだほとんど対策は講じられていない。「自分の命は自分で守ろう」をくり返すのではなく、「想定外」を想定し、助けられる命を確実に助けられるシステムを一日も早く構築すべきである。

米、タリバンともに敗者

二〇二一年八月十五日、アフガニスタンのタリバンが政権を掌握し、アメリカ軍が全面撤退という最終局面において大混乱が起きた。国外に脱出しようとする市民が殺到し、カブール国際空港では飛び立とうとする飛行機にしがみついた人々の映像は世界を震撼させた。

二十年のあいだに、アメリカが莫大な費用を投じ、数千人の兵士や軍関係者が犠牲になった。一方、アフガニスタン側の死者も数十万人にのぼったという。アメリカの撤退という決断は正しいのか。立場によって、答えがまちまちであろう。アメリカの世論調査によると、撤退の時期や方法について見方が分かれたが、共和党寄りか民主党寄りかにかかわらず、大多数は撤退に賛成したという。

その理由は単純明瞭で、アメリカの主権者にとって税金が何のために、どう使われるかは切実な問題だからである。九・一一のような大事件が起きたとき、人々は気分が高揚し、感情的に物事を判断しがちだが、時間が経つにつれ、現実を直視し、合理的に物事を考えるのは何ら不思議ではない。

アフガニスタンでアメリカが負けたのか。むろん、「勝敗」とは何かは定義にもよるが、少なくとも軍事作戦においてアメリカは負けたわけではない。かりにアメリカ軍がアフガニスタンに残れば、局地的な戦闘ではなお圧倒的な優勢を保つであろう。

裏返していえば、タリバンが勝利したわけではない。そのことは二十年前に、タリバンが首都カブールを放棄し、山の中に逃げたとき、彼らは負けていなかったのと同じことである。アフガニスタンでの躓きから学べたのは表面の上の勝ち負けはこの場合、必ずしも意味はない、という事実である。

二十年前にアメリカは対タリバンの戦争で「勝利」したことで、抜き差しならぬ泥沼に陥ってしまった。二十年後の現在、タリバンが「勝利」してカブールに帰還したが、彼らの手に残ったのはどうにもならない破綻国家である。つまりは両者とも敗者である。何といっても、最大の被害者はどん底の貧困に陥れられたアフガニスタンの国民であろう。

かりに二十年の蹉跌から教訓を引き出すとすれば、アフガニスタンのことを知らないことがまず挙げられるのではないか。

アフガニスタンは多民族国家といわれているが、山間部や農村部では依然として部族社会のままである。民族、部族や宗派、およびそれに依拠する武装勢力は入り組んでおり、互いに合従連衡しつつ、複雑に対立している。その文化形態は外部の人間には容易に理解できない。「アフガニスタン・イスラム首長国」と名乗るタリバン政権でさえ果たして首長たちを取りまとめ、全国を統治できるのかはいまだに未知数である。じっさい、アメリカ軍が撤退した後もテロは頻発している。そのことを見抜けず、アフガニスタン人が何を思っているかを知らなかったのが、二十年間にわたる迷走の最大の原因であろう。

吉田茂は防衛大学校を創設したとき、旧日本軍はなぜ惨敗したかについて考えた。将校たちは優れた軍事技術を持っており、戦術にも長けていた。しかし、大局を見誤ったから、大敗を喫した。軍事技術よりも、一筋縄ではいかない人間を知るために人文学を防大生に多く学ばせるよう、指示したという。

自分が人間なら、異文化の人たちもまた人間である。人間とは何かを知らないと、おおもとのところで過ちを犯すことになる。友好国であろうと仮想敵国であろうと、究極のところ、自分にとっての他者である。政治的な利害関係のみならず、その背後には異文化関係も絡んでいる。そのことを知らないと、方向を見誤ることになる。吉田茂が言いたいのはそのことであろう。

アフガニスタンのような、テロの温床になりかねない国や地域に対し、今後も何らかの形で関与し、支援していく必要がある。問題はどのように支援するかだ。

中村哲医師の、医療支援から「用水路を拓く」に至った足跡が示したように、「現地の人々の立場に立ち、現地の文化や価値観を尊重し、現地のために働くこと」がもっとも大切なことである。途上国援助とはただ箱物を作ることではなく、一人一人の顔を見ての支援が求められている。困っている人々がもっとも必要としているものを彼らの手に確実に届けることこそ本当の支援である。

選挙後求む　政策再点検

第四十九回衆議院選挙は二〇二一年十月三十一日に投開票が行われ、十一月十日、新しい内閣がスタートした。

選挙期間中、与野党は分配の拡大、給付金の支給や減税を主張しており、ある調査によると、衆院選の候補者のうち、七七パーセントが景気対策のための財政出動に賛成しているという。その点において、各党の違いがあまり明確とはいえず、争点がはっきりしないと感じた有権者は少なくないであろう。

むろん各政党が掲げた政策は民意から外れたものではない。むしろ多数の有権者の意向に沿ったものである。じっさい、国債の増発は財政破綻を招くという意見に対し、世論調査では「そう思わない」が「そう思う」より多いという結果が報告されている。

ただ、若者世代の見方は必ずしも同じではない。ゼミで「持続可能な経済成長はありうるのか」をめぐって議論させると、「成長はいつまでも続くわけがない」という意見が圧倒的に多い。

彼らは気候や資源などの問題に対する関心が高く、環境を犠牲にする経済成長には強く反対している。年金、社会福祉、インフラの老朽化などについて知れば知るほど、不満や不安が多い。財政出動には概して否定的で、「赤字国債は将来、自分たちにつけがまわってくるではないか」と危惧する人が少なくない。なかには「一体、どんな未来をぼくたちに手渡してくれるつもりか」と怒りをあらわにする人もいる。たんに政治不信だけではない。彼らの不満と怒りは上の世代や社会システムそのものにも向けられている。

さきの衆院選で各党がそろって分配の拡大を言い出したのには理由がある。格差の拡大や貧困の深刻化が社会問題になっているからだ。では、なぜそのような社会現象が起きたのか。

発端となったのは小泉内閣である。二〇〇一年四月にスタートした小泉政権は聖域なき構造改革を断行し、競争の原理が声高に叫ばれた。企業も個人も周りを蹴落として、必死に勝ち組になろうとしていた。敗者や弱者は「負け組」と目され、「自己責任」を理由に社会から見放された。その後の内閣は程度の差こそあれ、ほぼその方針が踏襲された。

あれから二十年の歳月が経ってしまった。改革は一定の成果を挙げた半面、その歪みも顕在化してきた。弱者切り捨ての代償は大きく、後遺症もまた深刻なものである。忘れもしないが、就職氷河期のもっとも厳しいとき、一月になっても、内定をもらった四年生は少なかった。いったん卒業＝就職の軌道から外れると、再起は容易ではない。就職氷河期世代の問題は氷山の一角で、倒産による解雇、非正規雇用など一連の問題は連鎖的に起きていた。

二十年経って、ようやく風向きが変わった。分配の拡大や低所得者への給付金などの政策はいわば、二十年来の「改革」の後始末ともいえよう。小泉内閣や安倍内閣が世論の強い後押しを受けたことを思うと、感慨深いものがある。改革がいけないというのではなく、当初から副作用に留意すれば、その弊害がかなり防げたはずである。

政治家にとって、当選こそ最優先課題だから、短期的に支持率を上げる政策を打ち出すのは仕方のないことである。しかし、選挙の後、政策の再点検は不可欠である。多数を取った党が政権の座についたら、政策の副作用や落とし穴がないかどうか、きちんと検証しなければならない。問題があれば、公約を違反しない範囲内で早期に善後策を講じる必要がある。

節度のない分配拡大や経済刺激は将来的には財政規律の緩みを招きかねない。インフレという猛獣がいったん檻から放たれたら、手が付けられない。アメリカではすでにその徴候が現れている。

海外メディアの報道によると、物価上昇が原因で、十月中旬、米国オレゴン州ポートランドで騒乱が起こり、千人以上の若者が参加した。市内の銀行、商店などが強盗や放火などによって破壊されたという。サンフランシスコでは今年、すでに二万二千以上の商店が強盗の被害を受けている。最近、各地で賃上げを求めるストライキが頻繁に起こり、人手不足にさらに追い打ちをかけている。

日本は国情が違い、必ずしも同じことが起きるとはかぎらない。ただ、目先の政党利害にとらわれず、将来を見越した上での政策実行が求められるのはまちがいない。

政治の信頼回復　早急に

二〇二一年も残すところ二週間ほどになった。振り返れば、日本だけでなく、世界にとっても波乱に富んだ一年であった。国際関係にしろ、環境気候にしろ、国内政治にしろ、状況は複雑極まりないが、錯綜する現象の奥底に共通している点を挙げるとすれば、信頼の喪失であろう。

海外を見ると、新年早々、飛び込んできたのはトランプ前大統領支持者の議会乱入という報道であった。事の是非はともかくとして、民主主義の模範たるアメリカ政治がここまで信頼が失われるのはいまだかつて聞いたことはない。かたやバイデン政権が成立してまだ一年も経っていないのに、支持率が四〇パーセント台に落ちている。大統領ののみならず、民主党も人気が低下したのは、与党に対する信頼が大きく揺らいだからであろう。

九月末、ドイツでは総選挙が行われ、与党が大敗を喫した。ただ、もっとも多い支持を集めた中道左派の社会民主党（SPD）も得票率は二五・七パーセントで、前与党の中道右派キリスト教民主・社会同盟（CDU・CSU）は二四・一パーセント、緑の党は一四・七パーセント、自由民主党（FDP）は一一・五パーセントという順になっている。いずれの党の得票率も三〇パーセントを超えていないから、国民から全幅的な信頼を勝ち取った政党は一つもなかった。

国内に目を転じると、アメリカやドイツほどではないが、政治に対する信頼度は同じく低下している。さきの選挙で、自民党は過半数を維持しながら、選挙前より十五議席を減らした。野党も得票は伸び悩み、立憲民主党は十四の議席を失った。日本維新の会は選挙前より四倍近くに議席を増やしたものの、得票は特定の地域に偏っている。政策が広く支持されたというより、与党への批判票の受け皿になっているのが実情であろう。

コロナ禍により、医療体制に対する信頼も甚だしく損なわれた。かつて病気になったら、診察してもらえるのは当たり前であった。ところが、コロナ第五波の最中に、各地で多数のコロナ難民が現れた。いまや命の危険があっても、必ずしも病院にたどり着けるという保証はない。

コロナの影響で、個人生活においても、知人や友人との信頼関係に目に見えない変化が起きている。先週、二年ぶりに友人との会合に参加した。互いに酒が苦手ということもあって、コロナの前に定期的にコーヒーとケーキだけのお茶会をしていた。傍目には趣味の悪い集まりで、現に友人たちに「気持ち悪い」と何度も笑われた。ただ、筆者も含めて、当人同士はこの婦人会のような会合をけっこう楽しんでいる。互いに親しくしているつもりなのに、いざ会って見たら、何やらしっくりしないものがあるように感じた。第一、会話は微妙にかみ合わない。定期的に対面し、相手の表情を見ながら語り合うことの大事さは改めて思い知らされた。

そういえば、コロナの関係でいつの間にか、かかりつけ医や歯科医からも足が遠のいてしまった。あたかも目に見えない壁ができたようで、互いに遠慮がちになり、プライベートなことにはいっさい触れなくなった。

新しい一年を展望するとき、さまざまな領域で信頼を取り戻すのが重要な課題になるであろう。政治のあり方としては、まず、弱者に目を配り、社会的な不均衡をなるべくなくすよう、努力する必要がある。

現在、東京ではマンションが値上がり続ける一方、貧困問題が深刻化している。二〇二一年十二月四日、「あしなが育英会」はコロナ禍が遺児家庭に与えた影響についてのアンケート結果を発表した。それによると、今年九月の手取り月収は平均約十万円で、無収入は四分の一にも達したという。橋本健二は『東京23区×格差と階級』のなかで、東京を「階級都市」と称し、所得のもっとも高い区ともっとも低い区のあいだに四倍もの差があるという。かりに富裕層と貧困層の住み分けが進めば、地域間の信頼の醸成が難しくなり、社会分断が加速するであろう。

産業技術の高度化に伴い、今後、能力や技術のある者とない者のあいだに所得の格差がさらに拡大するかもしれない。かりに、以前のような所得の再分配が機能しにくくなったならば、新たな対策を早急に考えなければならない。

福祉制度や医療体制に対する信頼の回復も究極的には政治のあり方にかかっている。政治に対する信頼、社会制度に対する信頼を取り戻すためには、経済を成長させながら、格差を縮める長期の計画が求められる。

課題山積、今年も試練

新しい年を迎えて、早くも一カ月が過ぎてしまった。二年間も新型コロナに振り回されたから、今年こそ流行が終息し、すべてが平常に戻ってほしい。と思ったところへ、元旦の日に、二カ月半ぶりに五百人超のコロナ感染という報道が飛び込んできた。しかも、複数の県でオミクロン株の感染も確認されたという。

今回もデルタ株のときのように、「神秘的に」消えてほしいと願っていたが、そうは問屋がおろさない。二、三週間も経たないうちに、不気味なスピードで感染が拡大した。筆者も三回目のワクチン接種を早く受けたいと思ったが、順番がまわってくるのが二月上旬である。その間に全国共通テストの監督、勤務校の入試業務が相次いでいる。自分のためにもまわりの人のためにも感染しないよう、気を付けるしかない。いずれにせよ、個人にとっても社会にとっても、新型コロナは今年も一つの試練になるであろう。

新しい一年を展望するとき、巨大な自然災害への備えも重要な課題になる。二〇二二年一月十五日、トンガでは海底火山の大規模噴火が発生し、噴煙は半径二百六十キロに広がった。空振(くうしん)の影響で、日本の沿岸に津波や水位の変化が観測されたのは周知の通りである。

一月下旬、関西方面に研究調査に行った。二十二日の深夜一時頃、宿泊先で携帯電話の地震警報で目が覚めた。揺れを感じなかったから、「また空振りか」と思って、携帯の電源を切ってそのまま深い眠りに落ちた。

翌朝、テレビをつけると、各放送局で大分県や宮崎県で震度五強の地震が起きたニュースが放送されている。南海トラフ想定域内という気象庁の発表を聞くと、胸騒ぎがした。自然災害はいつ、どこで起こり、どの程度のものになるかは誰も予想できない。損害を最小限に止めるよう、事前に減災の準備をしておくしかない。

もっとも憂慮すべきは、きな臭くなった国際状況である。二〇二二年に入ってから、北朝鮮はミサイル実験発射をくり返し、台湾海峡でも不穏な空気が漂っている。昨年末からウクライナ国境には十万人規模のロシア軍が集結し、軍事侵攻の恐れが出た。米ロ協議が続いているが、問題解決の糸口が見えないなか、二十三日、アメリカ政府はウクライナの米大使館職員の家族に対し、国外退避の命令を出した。

アメリカのある雑誌は一月下旬、人類が滅亡するまでの時間を象徴的に示す「世界終末時計」の時刻について「残り百秒」と発表した。地球は戦争などの脅威に晒されていることを改めて思い知らされた。

戦争の危険に直面したとき、武力衝突に備えて軍備を増強するか、軍事衝突を回避するよう最大限に努力するか、という二つの選択肢がある。だが、核大国が対立する場合は事情が違う。核大国の熱戦は当事国だけでなく、人類の滅亡という結末を招くからだ。

その意味では、一月三日、米ロ英仏中が発表した「核保有国五カ国のリーダーによる、核戦争を防ぎ、軍拡競争を避けることについての共同声明」は一歩前進といえる。「核戦争に勝者はなく、決してその戦いはしてはならないこと」、「(核兵器は)防衛目的、侵略抑止、戦争回避のためにあるべきだということ」を確認し、核拡散は防がなければならないことが表明されたからだ。

この声明に対し、メディアの反応は概して冷ややかなものである。直接的には批判しなかったものの、国際NGO「核兵器廃絶国際キャンペーン(ICAN)」のフィン事務局長の言葉を引用して、実効性に対する疑念が大きく報じられた。

そうした報道姿勢を目の当たりにして愕然とした。「共同声明」は確かに実効性よりも象徴的な意味が大きい。しかし、その意義は決して過小評価してはならない。小さな一歩かもしれないが、史上初の声明である。合意がないよりは、あったほうがずっとましだ。

クリントン政権で国防長官を務めたウィリアム・J・ペリーはかつて、核戦争で勝利しようと企むのは狂気の沙汰だと言ったことがある。ペリーといえば、一九九六年、台湾海峡ミサイル危機が起きた際、空母二隻を急遽台湾周辺に派遣した人物として知られている。アメリカの巨大な核戦力を熟知した上での結論だから、その発言には真剣に耳を傾けるべきであろう。

日本は唯一核兵器の被害を受けた国で、岸田首相は広島選出の内閣総理大臣である。いまだからこそ、核兵器の廃絶に向けて力を発揮してほしい。

米EU、停戦協議に臨め

二〇二二年二月二十四日、ロシアはウクライナに対する全面的な軍事侵攻に踏み切り、ウクライナの国民は凄惨な戦禍に巻き込まれた。

ロシアと比べて小さく見えるが、ウクライナの国土は日本の約一・六倍、人口四三七三万人。国土面積でいえば、ヨーロッパのなかでロシアに次ぐ大国である。近年、欧州諸国の支援を受けて、国防力はかなり強化されている。西部と西南部にはNATO加盟国と長い国境線があり、EUからの軍事支援を断ち切るのは容易ではない。民意の支持が高く、ゼレンスキー大統領が固い抵抗の意志を持ち続ければ、そう簡単に征服できるものではない。

たとえ、ロシアに全土が制圧されたとしても、欧米の支援を受けた武装勢力が各地で抵抗活動を展開するであろう。NATO加盟国との国境付近で活躍するならば、叩いても叩いてもつぶすことはできない。反対に、ロシア軍は神出鬼没の遊撃戦に疲弊するに違いない。旧ソ連のアフガニスタン侵攻は遠からぬ殷鑑（いんかん）である。

いまでさえ、ロシアの台所事情はかなり厳しい。GDPは日本の三分の一しかなく、輸出の六割以上は天然資源にたよっている。ウクライナ侵攻後、欧米や日本などは矢継ぎ早に経済制裁策を打ち出し、二十七日、ロシアの銀行を国際銀行間通信協会（SWIFT）から排除することも発表された。経済状況がいっそう悪化するなか、ウクライナ統治のために新たな財源をどうねん出するかは大きな課題になる。経済の失敗により、国内から不満が噴出したら、ロシアの屋台骨を揺るがす事態になりかねない。いずれにせよ、ロシアが片足を底なしの泥沼に突っ込んだのはまちがいない。

一方、ロシアの侵攻に果敢に立ち向かうウクライナの国民にただ応援の声を挙げるだけでよいのか。むろん理非曲直がはっきりしている以上、旗幟鮮明にして、ウクライナを支持しなければならない。ただ、ウクライナの国民を矢面に立たせることに、筆者としては良心の呵責を感じないわけではない。アメリカはすでに不介入の立場を明らかにしており、三月六日の報道によると、欧州全体を巻き込んだ戦争を回避するために、NATO側は飛行禁止区域の設定というウクライナのささいな要望にも応じないと発表した。結局、焦土になったのはウクライナだけで、塗炭の苦しみを味わったのも罪のない市民である。

ウクライナにとって、最善の選択は何か。ほんらいならば、事前に戦争を回避することである。それができるのはアメリカだけである。しかし、ウクライナのNATO加盟をめぐる外交交渉のなかで、アメリカが最後までロシアの要求を拒否した。

かりにアメリカがロシアの要求をいったん受け入れても、欧米にとって実害はない。プーチン氏の年齢を考えると、将来、ロシアの国の姿勢が変わる可能性も十分ありうる。何事も「天の利」つまり最適な時期というものがある。ウクライナはいま加盟できなくても、国さえ存続すれば、加盟する機会はいくらでもある。ロシアに対するウクライナの不信と反発はよく理解できるが、勝てない強敵が玄関先まで迫ってきたとき、もっと知恵を働かせ、柔軟な対応が求められる。ひたすら意地を張るのは、かえって国益にならない。

ロシアの侵攻が続いているいま、これ以上戦禍を拡大させないためにはどうすればよいか。アメリカもEUもウクライナを防衛しないと明言している以上、現実を直視し、実効性のある手段を取るしかない。

ロシアに対する経済制裁は必要だが、決定的な切り札ではない。ロシアに圧力をかける効果があっても、ウクライナ侵攻を諦めさせるのは難しい。SWIFTからの排除をはじめ、経済制裁はプーチン氏にとって、想定内のことで、それなりの対策も講じられているはずである。国民生活を度外視すれば、凌げないわけではない。逆に西側にとっても、経済制裁はもろ刃の剣になりかねない。

有効な手段はもはや一つしか残っていない。ロシアが経済制裁に対する「耐性」を獲得する前に、アメリカとEUがロシアと直接停戦協議に乗り出すのが事態打開の唯一の道になる。

このまま事態を放置すれば、プーチン氏は泥沼を承知の上で、戦争をエスカレートさせるかもしれない。その結果、ウクライナが壊滅的な被害を受け、より多くの人命が失われることになる。口先だけの応援はただウクライナを見殺しにするだけである。

国際政治「待っ」大切さ

山形も花見の季節を迎える頃になった。コロナまん延防止措置の終了に伴い、今年の花見は昨年にない賑わいを見せている。のどかな気分を堪能しながらも、戦火で苦しむウクライナの市民たちの惨状を思い出すと、やるせないものがあった。

無謀にも戦争を発動したロシアは苦戦を強いられ、ついにウクライナの首都キーウから退却せざるを得なくなったのはせめてもの慰めである。今回の戦争で見えたのは、「弱者」の強靭さである。軍事大国は一瞬にして弱小国に侵入できるが、みずからも甚大な犠牲を払わないといけないことが再度、証明された。

当面の課題は何といっても停戦だが、現状では、戦争の長期化はほぼ不可避である。そのあおりで、年後半に向かって、世界的に一段の資源高、食料不足、物価上昇の局面を迎えるかもしれない。フランス大統領選で見られるように、ロシアに対する経済制裁は思わぬところに波紋をおよぼしかねない。来るべき状況変化に対処するために、早めの備えが必要である。

ロシアによるウクライナ侵攻は世界を大きく変えた。今後、日本はどのように対処すればよいか、多くの人が関心を持っている。

現在の状況は第一次世界大戦の前後とよく似ている。当時の欧米では貧富の差が拡大し、社会的な不公平感が広まっていた。人々は資本主義に対する自信を失うなか、ナチスドイツとソ連という二つの全体主義国家が誕生した。

ナチスドイツはイギリスをはじめ、のちに連合国になった陣営と正面から対立し、フランス侵攻をきっかけに米英側との全面戦争に突入した。ナチスドイツが戦争に敗れたが、その一方、勝利した連合国側には膨大な数の人命が失われ、多くの国が焦土と化した。

もう一つの全体主義国家の旧ソ連は、第二次世界大戦以降、欧米と冷戦状態にあったものの、正面衝突には至らなかった。一九六二年、キューバ危機が起こり、二年後の一九六四年、トンキン湾事件をきっかけにアメリカはベトナムに派兵した。六年後に旧ソ連はチェコに軍事介入したのに続き、一九九七年にはアフガニスタンを侵攻した。

そのつど、軍事的緊張が高まったが、米ソが直接干戈（かんか）を交えることはなかった。キューバ危機のときのアメリカでは、核兵器による先制攻撃を提案した将校がいたが、ケネディ大統領はその意見を退けた。振り返れば、叡智に富んだ歴史的な決断であった。というのは、三十年も経たないうちに、ソ連があえなく崩壊したからだ。もし、あのとき核戦争が起きていたら、いまの世界は確実に存在していないであろう。

その歴史からどのような教訓を汲み出せるか。結論からいえば、国際政治における「待つ」ことの大切さであろう。

今後の日本の針路について、軍備増強を主張する人がいる。選択肢の一つではあるが、最善の対策はほかにないか、考えなければならない。現代兵器はけた外れの殺傷力を持っている。かりに戦争になったら、勝利しても国土が廃墟になるであろう。ましてや核戦争にまで発展したならば、もはや勝者も敗者もいない。軍備増強には莫大な金がかかり、もし戦争が起こらなかったら、どんな兵器もただの鉄くずに過ぎない。喜ぶのは武器商人だけである。

全体主義国家の脅威に対し、有効な方法は二つある。一つは適宜な利益共有で、もう一つは気長に待つことだ。プーチン氏が見境なくウクライナを侵攻したのは、むろん彼の歪んだ世界観も理由の一つだが、かりにロシアと欧米のあいだに相互依存の経済関係があれば、その一歩を踏み出せなかったであろう。クリミア併合以降の制裁により、ロシアは世界経済から切り離され、さらなる制裁はさほど効かないとの判断が影響したのかもしれない。

全体主義国家には致命的な弱点がある。独裁者の周りには阿諛追従の人しか集まらないから、反対意見は出ないし、真実を言っても受け入れられない。政策的な誤りも戦略的なミスも修正されないまま積み重なっていくから、気付いたときにはすでに致命的になっている。長期的に見ると、絶対的な権力は必ず腐敗を招く。政権の自己崩壊はいわば宿命づけられたようなものである。三十年、五十年単位で物事を考えれば、全体主義国家は恐れるに足りない。利益共有と「待つ」ことは、防衛上の備えと同じか、それ以上に有効な方法だと思う。

対立より融和と協力

先日、ゼミ学習の一環として、学生と一緒に御茶ノ水駅近くにある東京復活大聖堂教会、通称ニコライ堂を見学した。近代都市文化と宗教との関係を課題にしているから、いくつかの宗教施設をまわって、実地調査をしている。ニコライ堂はその一つである。

コロナの流行により、教会の拝観は中止されたが、司祭（神父）を務めている対中さんは同じ研究会の仲間だから、特例としてこちらのわがままを聞いてくれた。

国の重要文化財だけあって、その美しさには圧倒された。ビザンティン様式の建築はもちろん、内部の煌びやかな装飾は眩いばかりである。

正教会の教会といえば、美しいステントグラスが有名である。そのなかの一枚に聖ファノリオスが描かれている。ギリシア正教の聖人で、クレタ島での宗教活動が伝説として残っている。ただ、正教会の聖人のなかでは有名な存在ではなく、活躍した年代など詳細は不明である。解説してくれた執事長は右手に蝋燭を持っている聖人について面白いエピソードを紹介してくれた。

伝説によると、聖人になった聖ファノリオスは下界にいる母親を自分のところに連れていこうとする。しかし、うごめいている群衆から母親を見つけ出すのは容易ではない。そこで、天から蝋燭を垂らし、ついに母親を見つけたという。

ある日、たまたま神田を散歩している芥川龍之介はニコライ堂に立ち寄り、この話を耳にした。その物語からヒントをえて、「蜘蛛の糸」という短編小説を書いたと伝えられている。

このエピソードには驚いた。比較文学研究者の端くれとして、「蜘蛛の糸」の材源について、『カラマーゾフ兄弟』説と仏教説話集『カルマ』説は知っていたが、聖ファノリオス云々は初耳であった。

事の真相はともかくとして、二つの物語は奇しくも人間の二面性が描かれているところに心惹かれるものがあった。

そこで思い出したのは実地調査リストにある鬼子母神堂である。土地の守り神として生まれたが、鬼子母神の伝説に起源することはよく知られている。

薬叉（やくしゃ）の国の首領である半支迦（はんしか）の妻は子沢山で、五百人もの子供をもうけた。彼女は人を貪り喰うという習性があり、国中の子供を捉えては食べていた。子供を持つ親は彼女のことを「鬼子母」と呼んで、恐れていた。その話を聞いた釈迦は、彼女がもっとも愛している末っ子を鉢に隠した。彼女は、気が狂ったように町中を探し回ったが、なかなか見つからない。藁にもすがる思いで、釈迦を訪ねると、釈迦は、たくさんの子供のなかの一人が見つからないだけで、これほど苦しい思いをするのだから、ほかの親たちがわが子を失う悲しみはどれほどかこれでわかるだろうと諭した。改心した女は仏門に帰依し、子供を守る仏教の神になった。

聖ファノリオスの物語が母子愛を描き、「蜘蛛の糸」が隣人を蹴落とそうとする人間の暗い一面を表現したとすれば、鬼子母神の物語は善悪の両面を持つ人間から希望を見いだそうとしたのではないか。

人間は一人一人みな違うのと同じように、国家も民族や文化の違いにより、習俗や価値観は同じではない。違いがあるから、対立や争いが起きるのもやむをえない。一方、人間は他者を必要とするのと同じように、国家も他国を必要としている。すべての国々と協力して、はじめて気候変動や環境破壊など地球規模の問題に立ち向かうことができる。

人類の歴史は対立と協力のくり返しといってもよい。対立を巧みに乗り越えられた時代もあったが、衝突や戦争で結末をつけようとする人たちもつねにいた。しかし、殺し合いで問題が解決された試しは一度もなかった。戦争の残酷さ、悲しさと虚しさを描いた文学作品が古代から多くあったのはそのことを示している。残念ながら、人間は忘れっぽい動物である。それが人間の愚かさなのかもしれない。

対立や衝突を煽る言論は心地よく感じられることがある。それは人間は安全への欲求を本能的に持っており、その弱みが付け込まれやすいからだ。だが、国家間の対立に戦争で決着をつけようとすれば、途轍もない災禍をもたらすことになる。

人間の未来は分断や対立ではなく、連帯と協力にある。わたしたちは協力と融和という夢を決して諦めてはならない。学生からこの感想を聞いて、将来の希望が見えたような気がした。

核廃絶への努力の継続必要

夏休みに入った直後、和歌山に温泉旅行に行った。八年ぶりの再訪だが、いまは新館ができて、内装も一新した。驚いたのは宿泊料金の値上がりで、前回に比べて倍ほど高くなっている。

二〇二二年四月に入ってから物価上昇の影響は各方面に及んでいる。総務省が発表した消費者物価指数によると、昨年度に比べて、六月の都市ガス代は二一・九パーセント、電気代は一八パーセント、ガソリン一二・二パーセント上昇した。食料品も軒並み値上がりし、庶民の台所を直撃している。輸入牛肉は一三・五パーセント、食パンは九パーセント、食用油にいたっては三六パーセントも上がっている。主要食品メーカーは七月にさらなる値上げを実施し、年末にかけてインフレはいっそう加速するという予測もある。

インフレは世界的な現象で、日本に限ったものではない。というより、むしろ海外から押し寄せてきた津波というべきであろう。筆者はこの秋からハーバード大学で在外研究をすることになったが、ボストンの住居費を調べて一驚した。アパートの月家賃は何と三十万円以上に跳ね上がっている。秋の新学期に入ると、さらに高騰するというから、泣きながら月三六八〇ドル（日本円四十九万円相当）の1LDKを契約するしかない。ニューヨーク在住の友人に愚痴を言ったら、家賃だけではないよ、ランチ定食は四、五千円もするから、覚悟したほうがいいと言われた。

世界的なインフレの直接的な原因はロシアによるウクライナ侵攻である。コロナによる供給網の混乱もあって、エネルギーの価格が高騰し、世界の原材料価格は急上昇した。

アメリカの国内事情も複雑に絡んでいる。二〇二〇年初春、新型コロナ感染症が爆発的に拡大した。落ち込んだ経済を立て直すために、米政府は立て続けに経済救済策を打ち出した。同年四月に大人一人当たり千二百ドル、十二月に同六百ドル、翌三月に千四百ドルの即時支給が決定された。一回目のとき、緊急対策としてはやむを得なかったが、大統領選前後の二回目、バイデン政権成立の直後の三回目が果たして必要かは首をかしげたくなる。大事な選挙が二年ごとにあることを考えると、選挙対策としての意図があってもおかしくないであろう。

その間、連邦準備制度理事会は量的緩和を実施し、市場に大量の資金がつぎ込まれた。通貨の供給と需要のバランスを考えれば、インフレが悪化しないほうが不自然である。

トランプ氏が米大統領に当選してから、アメリカ政治は迷走気味になっている。バイデン大統領が当選してからも、社会の分断が解消される兆しは見えない。支持者の拡大を図るために、両党の政治家とも躍起になって、対内的に存在感をアピールしようとしている。

八月二日、米ペロシ下院議長は台湾を訪問した。中国は猛烈に抗議し、外交当局は早々と対抗措置を取ると明言した。双方とも国内事情に配慮し、強い姿勢を見せようとして事態を悪化させた。

著名なコラムニストのトマス・フリードマンが訪台の前日、ニューヨーク紙への寄稿のなかで「危険で無責任」と批判したように、ペロシ議長の訪台は緊急性もなければ、台湾に利益をもたらしたわけでもない。一方、中国の軍事演習も台湾民衆の反感を買い、周辺国の不信を招く結果となった。

戦争はどちらか一方が確信をもって起こすのは稀で、多くの場合、双方とも強硬な態度を取り、言葉の応酬で引くに引けなくなったときに起きる。将来、かりに台湾問題をめぐって、米中の軍事衝突が起きたら、核戦争に発展しかねない。しかし、核戦争には勝者がない。どちらか一方が核戦争で勝てると思ったとき、取り返しのつかない結末を招くであろう。

中国の軍事演習がまだ終わっていないうちに、ウクライナのザポリージャ原子力発電所の高圧送電線が砲撃を受けたというニュースが飛び込んできた。ウクライナもロシアも相手側が砲撃したとして非難したが、真相はいまだ不明である。もし、欧州最大級の原子力発電所の原子炉が損傷を受けたら、被害は欧州に止まらないであろう。

岸田首相は二日、国連本部で開かれた拡散防止条約（ＮＰＴ）の再検討会議で演説し、ＮＰＴ体制の維持・強化に向けて関係国に建設的な対応を呼びかけた。それだけでは十分ではない。核禁止という目標の達成にはやるべきことがまだ多くある。重要なのは諦めないで努力し続けることだ。唯一の被爆国として日本はひたすら核廃絶を訴え、核戦争反対を貫くしかない。

七　故きを温めて新しきを知る

機智に富んだ話術で信仰現象の本質明かす

橋爪大三郎、植木雅俊『ほんとうの法華経』

日本の仏教の多くは『法華経』を最高の経典としている。この仏典は宗教にとどまらず、思想や文化にも計り知れない影響を与えた。しかし、長いあいだ漢訳されたものが唯一の依拠できる典籍で、わかりやすい現代語訳はなかった。

一八三七年、サンスクリットの法華経が残っていることが判明した。東インド会社の駐在公使としてネパールに赴任したブライアン・H・ホジソンという人物は自ら収集した写本をイギリスやフランスの研究機関に送り、それがきっかけとなって原典にもとづく研究がようやく行われるようになった。

そうした成果を踏まえ、植木雅俊は八年をかけて原本を徹底的に解読し、二〇〇八年『梵漢和対照・現代語訳　法華経』の刊行という大業を成し遂げた。今年の三月、一般読者のために、現代語訳だけを取り出した普及版も出版された。

仏典はお釈迦さまが仏法の原理を説いたものだから、字面がわかっても内容がたちまち理解できるとはかぎらない。そもそも『法華経』の比喩や措辞は現代人に馴染みの薄いものが多い。また、この経典の言葉がどのような文脈のなかで語られ、書写されたのかも当然、知る必要がある。

専門家にとって当たり前のことでも、一般読者には必ずしもわからない。何しろ釈迦が没後五百年ぐらい経ってから編纂されたものだから、登場人物も語られていることも古代インドのものである。時代背景を知り、歴史社会的な文脈において文意を把握するのも不可欠だが、それだけでなく、外から眺める視線が必要である。そのことに気付いた社会学者の橋爪大三郎は植木雅俊と対談し、読者にかわって率直に疑問をぶつけた。

イスラム教やキリスト教との比較のなかで仏典を捉えなおすのは優れた発想である。『コーラン』は信者にとって神アッラーの言葉そのものであるのに対し、仏典は釈尊の言葉の口伝である。キリスト教は宗派により、聖書の読み方が異なり、神殿を造るかどうか、どの方向に向いて祈るかなども宗教によって同じではない。比較宗教学の視点を導入することで違いが明らかになるだけでなく、経典の理解を深め、信仰現象の本質を探ることができた。

機知に富んだ対話のおかげで、謎はいくつも解かれている。『法華経』序品第一には、お釈迦さまが瞑想に入ったあと、天上の花が降ってきて、じっとしていた釈尊の眉間から光が出る、という描写がある。奇蹟の出現とも思える場面だが、訳者はここで奇蹟を否定し、仏教を実践する様子についての、想像的な具象性という文脈のなかで理解しようとした。

仏典の例に漏れず、法華経にも気が遠くなるような巨大な数字が登場してくる。今日の数学的な感覚では理解しがたいもので、現代語訳にしたところで埒が明かない。聞き手がその点を追求すると、訳者は空想が好きなインドの国民性を指摘し、修辞的な視点から時間の観念を捉える発想を紹介した。

　プラトンの例を挙げるまでもなく、対話という形式は古代ギリシア哲学で重視された手法である。現代ではその意味がやや軽んじられている向きはあるが、ほんらい、思考のぶつかり合いのなかで問題の本質についての認識が深められ、意外な発見が導き出されることがある。

　ただ、その場合、二人の学識と洞察力はもちろん、機智や悟性が求められる。相手の呼吸に合わせながらも、互いの考えを引き出し、思考の新たな到達点に導く話術を心得なければならない。対談の名人は今回も本領を発揮し、やや難解になりがちな話題を興味に富んだものにした。

古典の魅力とその受容史を巧みに語る

影山輝國『「論語」と孔子の生涯』

孔子の娘婿は公冶長(こうやちょう)といい、七十人の弟子の一人だ。娘の結婚について『論語』にはやや不可解な記述がある。孔子は、公冶長は牢獄につながれたことがあったが、彼の罪ではなかったと言って、娘を嫁がせた、と「公冶長篇」に書かれている。しかし、公冶長はなぜ捕まったのか、その理由は長いあいだずっと謎であった。

六朝の梁(五〇二〜五五七)の時代に皇侃(おうかん)という学者が『論語義疏(ぎそ)』という注釈本を著したが、中国ではすでに散逸した。ところが、その本は遅くとも九世紀末には日本に伝わり、大切に保存されている。多くの写本が作られ、研究も重ねられてきた。寛延三年(一七五〇)に木版で印刷されたものは、清国の汪鵬(おうほう)という商人が購入して持ち帰ったところ、大陸の学者たちをあっと驚かせた。公冶長をめぐる謎もその本にはちゃんと解かれている。皇侃は『論釈』という雑書を根拠に、公冶長が鳥の言葉を理解できることが災いをしたという。

それは衛の国から魯の国へ帰る途中のことである。公冶長は鳥たちが「清渓に行って、死体の肉をついばもう」と鳴き交わしているのを耳にした。しばらく歩くと、行方不明になった息子を探す老婆に出会った。公冶長は鳥たちの会話を思い出し、老婆に告げると、果たして息子の遺体が見つかった。村役人は犯人にしか知りえない事実を知ったとして公冶長の身柄を拘束した。入獄して六十日目、雀が牢屋の柵に止まってチュンチュンと鳴いた。それを聞くと、公冶長はまたもや何か合点したように微笑んだ。看守がわけを聞くと、鳥たちは食料を運ぶ車がひっくり返ったから、ついばみにいこうと言っている、と話した。役人たちが半信半疑で確かめに行くと、またもや的中した。そこで、公冶長の潔白が証明され、自由の身になった。白髪三千丈を超えるほどのほら話だが、底抜けに快活なところはいかにも古代中国らしい。

そんな突拍子もない逸話まで集めた『論語義疏』だが、六朝の解釈が完全な形で残っており、皇侃の時代までに蓄積された『論語』注釈の宝庫でもある。日本では千年を超える歴史のなかで、間断なく読み継がれ、大陸と違った『論語』の受容にも影響を及ぼしている。しかし、近代に入ってから忘れ去られ、専門家を除いてほとんど知られていない。本書によって、その全貌と流布する歴史がようやく明らかになった。

寛平三（八九一）年、もしくはそれ以前に撰述される『日本国見在書目録』に存目があるものの、日本に現存する『論語義疏』の三十六本の写本はほとんど室町時代のものである。ただ、天平十（七三五）年ころ撰述された『古記』に章句の引用があったから、日本への伝来はもう少しさかのぼるかもしれない。乾隆帝の時代に里帰りしてからは『四庫全書』や『知不足斎叢書』など大型叢書に入れられ、さらに明治十三年に来日した外交官の楊守敬が日本で入手した写本は現在台湾の故宮博物院に所蔵されている。一冊の書物がたどった道は日中文化交流の歴史そのものでもあった。

書名からもうかがえるように、本書の眼目は論語の受容史を明らかにし、孔子の生涯を通して、その学説の真意を探るところにある。『論語義疏』の話はあくまでもその一例に過ぎない。漢籍を扱っていることもあって、この種の書物は通常、難解なものが多い。本書は要点を押さえながら、予備知識のない読者にも理解できるように、わかりやすく書かれている。

著者は漢学の専門家で、『論語』の解釈史についての造詣が深い。本書でもその博覧強記ぶりが存分に発揮されており、古典の魅力は自家薬籠（やくろう）中のもののように語られている。各章末に配されたコラムはこれまた無類に面白く、その博識と巧みな話術には舌を巻くばかりである。

東京の懐に飛び込んできた革命家の群像

譚璐美『帝都東京を中国革命で歩く』

近代以降、中国から日本に留学し、あるいは一時滞在した革命家は多い。宮崎滔天の回想によると、孫文が広州で作った政権の庁舎に入ると、日本語が通じるほどだったという。彼らの夢はかつて異国の地でどのように膨らんだのか。東京という都市空間はいかに強靭な意志の触媒となったか。弧を描く情熱の動線は場所の特定を通して明らかにされた。

一口に「中国革命」とはいっても、十九世紀末にさかのぼる。孫文はいうにおよばず、梁啓超のような改良派や孫文の後を継いだ蔣介石から、周恩来をはじめとする共産党系の革命家にいたるまで、日本ゆかりの革命家は多数いた。彼らは本国で追われる身になると、決まったように次々と東京の懐に飛び込んできた。

いずれも先行研究の多い歴史人物で、その事跡もくり返し語られてきた。その分、新しい事実を見つけ出すのは難しい。著者はこれまでの研究の蓄積に目配りをしつつ、日本との関連に焦点を絞った。すると、近代史の海底に眠る、記憶の沈没船から知られざる歴史の細部がよみがえってきた。

人物伝ではないから、記述は場所との出会いに沿って展開されている。早稲田、本郷、神田という、中国人留学生や亡命政治家たちがかつて集まった地域に注目し、彼らがそれぞれの地区で何をしていたかを探った。

清末の革命家は来日すると、好んで日本名を使っていた。梁啓超は吉田松陰と高杉晋作を敬愛する情から、「吉田晋」と名乗り、孫文も日本に来て「中山樵」という名前を使っていた。革命結社「興中社」を組織し、広州蜂起を企てたが、失敗してハワイに亡命した。一八九七年に来日し、宮崎滔天の斡旋で犬養毅と面会した。その晩、京橋にある対鶴館の宿帳に日本名の「中山樵」を書いたのがきっかけであった。

孫文が亡命中の住まいは牛込区早稲田鶴巻町四十番地である。のちに沖縄県知事を務めた高橋琢也の所有する大邸宅だが、奇しくも梁啓超が日本に亡命したときも同じ場所に泊まった。中国ではまったく接点がなく、政治主張においては油と水のように相容れない二人だが、東京では二人が相前後して同じ邸宅を寓居にした。

不思議なめぐり合わせといえば、もう一つ、魯迅と黄興(こうこう)の例を挙げることができる。黄興は孫文と協力して中国同盟会を創設し、中華民国臨時政府の陸軍総長を務めた元老だ。一九〇二年に日本に留学し、弘文学院では魯迅と同期である。なぜか二人は帰国後、互いに言及したことはないらしい。しかし、二人を結ぶ点と線は東京にはあった。

東京での出会いが革命家の人生を変えた人物たちもいた。蔣介石は日本陸軍士官学校に留学中に革命家の陳其美を知り、その紹介で中国同盟会に加入したことが、政治家としての道を歩み始めたきっかけとなった。

弘文学院、東亜予備学校、清国留学生会館、中華基督教青年会館、日華会館など、中国人留学生がかつて勉強した学校や宿泊先については、当時の場所を見つけ出しただけでなく、現在の番地表示も特定されている。一見何気ない記述でも、辛抱強く歴史地図を調べ、現地を歩いてようやく突き止めたのであろう。

もっとも興味を惹かれたのは、一九二七年、弱冠二十歳で来日した著者の父親の見聞であった。孫文の講演記録を担当したとき、聴衆が回を重ねるうちに減少したのを見て、孫文がひどく立腹した様子や、同郷の廖承志（りょうしょうし）と交わされた会話は面白く、平板になりがちな叙述を情趣の富んだものにした。

博物学図鑑に芸術性求めた奥深さ

芳賀徹『文明としての徳川日本――一六〇三―一八五三年』

「江戸時代」とはいわず、「徳川日本」という言葉にこだわっているのには理由がある。徳川日本を一つの独立した文明体として捉えるべきだと、著者が考えているからだ。

この主張の根底には近代とは何かという問いかけがあるのであろう。明治以降、日本は西洋に習い、近代社会の構築に成功した、といわれている。しかし、この認識の共有には一つの落とし穴が待ち受けている。政治制度や経済構造については「古くて」「遅れた」ものが「新しくて」「先進的な」ものに取って代わられたとの解釈が成り立つとしても、文芸や習俗、道徳や信仰の話になると、文化の連続性や文化アイデンティティといった問題がたちまち炙(あぶ)り出されてしまう。

かつては、幕府時代は自由を抑圧する封建社会と見なされ、近代化は個人を封建的な社会関係から解放する過程だと考えられていた。それに対し、近代への歴史的転換は明治になって一夜のうちに成し遂げられたのではなく、徳川時代においてその準備がすでに整えられているとする見方がある。両者はまったく相反するように見えるが、個人主義や合理主義に代表される「近代性」を普遍的価値とし、西洋の基準で日本の近世を眺めている点では変わりはない。

前者に対し、著者はもとより歯牙にもかけないが、かといって、後者のような論にも与(くみ)しない。

そのかわり、十七、八世紀の日本と西欧を比較することによって、「近世」と「近代」とを相対化し、価値中立的な立場から眺めようとしている。

歴史の大きな流れから時代精神を捉えるかわりに、文化の移り変わりを映し出すさざ波に注目した。美術、詩歌から博物学や蘭学にいたるまで、今日なお強い光芒を放つ作品群を紹介し、時代の先駆者たちの横顔を精神史の天幕にくっきりと浮かび上がらせた。

屏風画、絵巻物を問わず、視覚的な形象を言葉に変えるのは著者の十八番である。「洛中洛外図屏風」にせよ、俵屋宗達の「風神雷神図屏風」にせよ、この絵解き巧者の手にかかると、画面がたちまち3Dのように目の前に立ち現れる。文化の虫眼鏡を手にした著者が見いだしたのは、町の様子や建築の風貌、あるいは暮らしの情景だけでない。風流踊りを踊る女たちの健脚の動きや、祭りで山車を曳く町衆の心の揺らめきから時代の文化的雰囲気が読み出されている。形や色彩のイメージを流麗な文章に置き換える点においては、まさに言葉の魔術師だ。

躍動感のある美術批評と並んで、詩歌の解釈もまた本書の見どころの一つである。蕪村の俳諧も、芭蕉の句も、その一字一句の意味から、描かれた情景、詠み人の心情、さらに万葉以来の歌の系譜にいたるまで、およそありとあらゆる詩歌史の知識が動員され、美しい詩句に秘められた魅力が著者一流の感性に沿って読み解かれている。さらには視野を遠く西欧のほうに広げ、ときにはフランスの詩を引合いに出し、ときにはその英訳を取り上げて、言語の境界を超えた韻律の奇蹟について縦横無尽に語る。

もっとも興味を惹かれるのは近世の博物学の奥深さを読み解いた章節である。徳川時代を「博物学の世紀」と称するのは批評的なレトリックではない。十七、八世紀の文化事象を観察するとき、いかなる心構えが必要かについての、著者の一貫した主張の現れである。

貝原益軒の『大和本草』が博物学の端緒を開いたことはよく知られているが、博物学に情熱を注いだのは一人貝原益軒だけではない。幕府時代において知的流行の様相を呈していた状況について、熊本藩主の細川重賢から、近衛家熙、円山応挙、平賀源内、伊藤若冲、渡辺崋山にいたるまで、多くの実例を挙げて示されている。

芳賀商店の江戸学には一つの目立った特色がある。日本のことを決して近代西洋の学問概念に当てはめないことである。幕府時代における知的冒険の軌跡については、地球の文化地図における日本の位置を確認しつつ、その独自の意義を導き出そうとしている。

博物学図鑑の芸術性をめぐる思索はその好例といえる。徳川時代の昆虫図鑑や草木図鑑は知識の体系化だけが目的ではなく、図鑑自体が美術鑑賞の対象としてやり取りされていた。近代的な学問形成の過程として捉えるならば、およそ思いもつかない発見であろう。日本の博物学の特質、図鑑の制作と蒐集（しゅうしゅう）に傾けた情熱を理解する上でなくてはならない重要な視点である。

徳川日本の文化に対して抱く深い愛着は行間に溢れているが、かといって、文化的な自己愛の殻に閉じこもっていて、同時代の日本を外から隔絶された世界と見ているのではない。むしろ、地球上の東西を結ぶ芸術交流の動線はしっかり捉えられている。長崎や江戸城を訪れた西洋の外交使節や宣教師と江戸の学者との交流を点描し、直接の影響関係がない分野について比較するのも、文明間の意図せぬ響き合いを説き明かすためである。鎖国という言葉では決して説明されない、徳川文明の多様性と懐の深さを改めて思い知らされた。

入念な資料収集と考証

野口孝一『銀座カフェー興亡史』

銀座の街を歩くと、耳にする言葉は外国語のほうが多くなった。その陰には目立たない変化があった。歓楽街から買い物天国への変貌である。外国人観光客を惹き付けたのはブランド品の豊富さであって、盛り場の妖しい燈火（とうか）ではない。日本人にとっても銀座のことを歓楽街と思う人は少なくなったであろう。しかし、ひと昔まえ銀座といえば、連想されるのは酒場の華やかな光景であった。

去る一月十日、銀座最古で唯一のキャバレーがついに閉店し、飲酒を専門とする店はバーやパブやスナックが主流になっている。だが、かつてはカフェーと称される店が流行っていた。明治以来、日本はさまざまな西洋文化を受け入れてきたが、カフェーはその代表格の一つである。これまで断片的な記述があるものの、銀座という地域に焦点を絞り、カフェーの誕生と、その変遷の全貌を捉えたものは皆無に等しい。本書はその先鞭をつけたものだ。

神経を昂ぶらせる感官の経験として、カフェーの記憶は精神のアルバムに深い刻印を残すものの一つに数えられる。一口にカフェーとはいっても、定義は難しい。ただ、名称がなくても、営業形態が似ている場所はあった。そのため、本書はカフェー前史として、函館屋、恵比寿ビアホール、資生堂飲料部、台湾喫茶店から説き起こしている。

二部構成の前半はカフェーの歴史的な変遷をたどり、後半はカフェーをめぐる人物について語った。ただ、両者は必ずしもはっきり分けられるわけではない。実際、第一部のなかでも人物中心の叙述が散見する。

銀座のカフェーは歴史がさほど長くないとはいえ、火事や関東大震災、それに空襲で壊滅的な損害を受けた。そのため、往時の全容を復元するのはたやすいことではない。景観の目印となる建物はほとんど姿を消し、写真に残ったものもほんの少数だけである。有名店ならともかく、規模が小さく、かつ現れてはすぐに消えてしまうような店に関してはさらに手がかりが少ない。

著者は長年、銀座の歴史を調べてきただけに、資料調査の周到さには目を見張るものがある。そのときどきの新聞や雑誌の記事はいうにおよばず、公文書館や企業の資料館所蔵の資料、社史や文人の回想、ひいては汗牛充棟の随筆類にいたるまで目が行き届いている。

入念な資料収集と手堅い考証によって、銀座カフェーの知られざる全容が浮かび上がってきた。日本では初めてカフェーを名乗って店を出したのはカフェー・プランタンである。パリのカフェーをイメージして作られ、供される飲料類もサービスの形態も前者を手本とした。やがて、多くの模倣店が現れたが、内装や営業、接客などは必ずしも同じではない。むしろ、互いに新しいサービスを前面に出して競い合っていた。関西系カフェーの進出に伴って、風俗営業的な側面が強くなり、やがて差別化が図れるようになった。

客層の分析からも意外な発見があった。文学や芸能関係者が多く利用していたのは大方予想できるが、じつは大学生も頻繁に出入りしていた。さらに、二・二六事件のとき、将校たちの情報交換の場として利用されていた。近代史の大事件ではカフェーも思わぬ形で巻き込まれていた。

もっとも興味を引くのは文学者とのかかわりと、女給の生態であろう。画家や演劇関係者の中に、カフェーを開いた者もいれば、常連客もいた。また、カフェーをめぐって文学作品や随筆が数多く生まれた。その意味では、本書はたんに銀座カフェーの歴史だけでなく、明治大正昭和の文化史の知られざる一面を掘り起こした貴重な書物だ。

時代の可能性から大正を捉え直す

鷲田清一、佐々木幹郎、山室信一、渡辺裕『大正＝歴史の踊り場とは何か――現代の起点を探る』

時代の可能性という新たな視点から大正を捉え直した書物だ。

昇りゆく人と降りゆく人が行き交う階段の踊り場と同じように、大正時代には上昇や下降など幾通りもの方向選択の機会があった。この「歴史の踊り場」に散乱していたさまざまな可能性から、現代にも通用するものを見つけ出し、何が問題解決のヒントになるか、目の前の課題と結びつけて語られている。

現代の起点としてまず四つの視座が提示され、また、方向選択を可能にした要素についての定性分析にも四つのサンプルが用意されている。さらに、新造語、流行や新しい社会の動きといった事象の考察を通して、大正という時代の特徴は明快に捉えられている。しかし、そうした論証の布置はただ知られざる史実を掘り起し、近代史の類似性を指摘するためではない。「踊り場」であるゆえに、忘れられ、あるいは抑圧された着想や制度は、現代社会を逆照射するための光源とされている。大正時代に誕生した学校の区割り制度は当時の教育と社会の関係を考証するのにとどまらず、学校を住民と地域社会との連結器として、今後の地域社会づくりにどう活用できるか、もう一つの可能性が探られている。

大正時代に作られた「民生委員」は独特の制度で、欧米のソーシャル・ワーカーと理念も制度も違う。仕事の内容が専門ごとに細分化されている欧米の場合と違って、日本の民生委員は地域密着型で、仕事の範囲も広い。つまりは人と人のつながりを大切する発想にもとづくものである。一〇〇年前に構想された「民生委員」制度は、「二〇二五年以降問題」に代表される日本の将来の課題を解決するのに、「地域包括ケアシステム」のモデルを提供したとの指摘も頷ける。

一方、方向性のまったく違う「可能性」もかつてはあった。関東大震災が起きたとき、近代文明に対する反省、自然と人間の関係に対する注目、防災の提言から天譴（てんけん）説にいたるまで、多種多様なことが議論された。興味深いことに、似たような言説や社会の反応は約九〇年後に起きた東日本大震災の際に、そっくりそのまままくり返された。現代を連想させながらの語りは、近代精神史の空間における記憶と忘却の問題を再度思い起こさせた。

技術や生産と違って、文学と芸術は独特の形式で社会とシンクロナイズする。メロディが近代的な集団形成においていかに共同体意識を育み、強化したか、また、心情を表象する言語がどのような変奏を導き出すかについての深海調査も「踊り場」という錨（いかり）を下ろすことによって、その深さが測れるようになった。

時代の変化について語るとき、転換点という言葉はしばしば用いられている。最近、流行りのシンギュラリティ（ＡＩの技術的特異点）という用語もこれまでとまったく違う時代の到来を予告したものだ。近い将来を展望すると、日本のみならず、全地球が人類文明の「踊り場」に来ているのはまちがいない。「踊り場」に差し掛かったとき、先人たちがどのような身の振り方をしたか。ここから学ぶべきものが多い。

過去を過去として玩味するのではなく、近代史の鉱脈から合理性の砂金を見いだし、ロボットが人間に取って代わり、大量失業の到来が囁かれる時代に先んじてさまざまな提言が出されている。

百年前のことを語って、現代のことを考えさせる。歴史的経験の語り方について、また一つ新たな可能性が示された。

些細な痕跡から事実掘り起こす

岩尾光代『姫君たちの明治維新』

化学反応を変えさせ、加速させる触媒と同じように、歴史という反応装置に「女」という分析試薬を滴下すると、過去の天幕にはたちまち色鮮やかなスペクトルが現出する。

江戸城の無血開城といえば、主役の西郷隆盛と勝海舟の二人はまず連想されるだろう。だが、古今東西の多くの大事件と同じように、その裏にも女の影があった。徳川十三代将軍家定夫人の天璋院篤子と十四代家茂夫人の静寛院宮親子内親王（和宮）らの女性は衝突を回避する「陰の功労者」とかねてからいわれてきたが、そのわりには彼女らの生涯や裏工作の詳細はあまり語られていない。

後宮の女たちの家系図をたどっていくと、近代史の出来事は教科書にあるような、単純なものでないことがわかる。天皇系と徳川宗家、さらには有力諸藩の家系は複雑に入り交じっており、革新と守旧、倒幕と佐幕、官軍と賊軍などの二項対立で説明しきれない事象は多々あった。著者は女性ならではの豊かな感性と鋭い観察眼で、歴史に残った些細な痕跡から知られざる事実を掘り起こした。

天璋院は薩摩藩主島津家の一門である今和泉領主・始末忠剛の長女として生まれたが、藩主の斉彬によって次期将軍選びに大きな力を持つ大奥工作の「駒」として徳川家に送り込まれた。長いあいだ、幕府に警戒心と敵意を抱く薩摩藩は早くから女を利用して、内から攻めこもうとした。だが、歴史は皮肉なもので、江戸城総攻撃を目前にして、天璋院は薩摩藩とのつながりを利用して平和工作に動き出し、徳川家を存続させた。一方、仁孝天皇の第八皇女であり、第十四代将軍家茂に嫁いだ和宮も違う方向から働きかけをした。二人の御台所（みだいどころ）がそれぞれの縁戚関係を使って、平和裏の政権移行を無事に着地させた。

徳川慶喜は「将軍になりたくない男」として知られており、倒幕派と佐幕派が交戦する最中、消極的な態度を見せた場面もあった。その理由は明らかにされていないが、慶喜をめぐる徳川の女たちの物語を読むと、濃い謎の霧から少しずつ真相が見えてきた。慶喜の実母で、息子に大きな影響力を持つ登美宮は水戸藩の出身で、かねてから尊王思想に染まっていた。一方、伏見宮家の王女・徳信院は慶喜の祖母にあたりながら、慶喜と年齢が近く、青少年期から親しくしていた。二人は恋人関係にあったという噂もあったが、事の真偽はともかくとして、尊王の女性たちに囲まれた徳川慶喜は最初から朝廷との対立を嫌っていたのかもしれない。

明治維新に関係したのはむろん徳川家や薩摩藩だけではない。有栖川宮家をはじめ、本郷あたりに広大な屋敷を持つ加賀藩前田家や、佐賀藩鍋島家の女たちがどのように維新という大事件に巻き込まれ、あるいは脚光を浴びたかも、姫君たちの個人の境遇を通して語られている。また、会津をはじめ東北、越後の諸藩など「負け組」の女たちがどのような悲しい末路をたどったかは、臨場感溢れる筆致で描かれている。

二十八人にものぼる姫君の生立ちと運命を描くのは並大抵のことではない。彼女らの出身地は日本全国の各地に広く分布しており、しかも、女性ということもあって、記録はあまり残されていない。とりわけ、負け組の「その後」は歴史の塵埃(じんあい)に覆われることが多い。そうした困難のなかで、著者は現地に出向き、各地の記録や地域史を広く渉猟した。一次資料の収集に精力的に取り組むかたわら、先行研究の関係者に直接電話で取材するような離れ業もやってのけた。一見、何気ない記述でも、辛抱強い調査と地道な資料分析にもとづく結果であろう。お蔭で明治維新の知られない一面と、近代史を変えさせ、あるいは歴史に翻弄された女性の運命を知ることができた。

画家を通し美術史を照射

三浦篤『エドゥアール・マネ――西洋絵画史の革命』

伝記を思わせる書名だが、その内容はマネの生涯と作品世界の紹介にとどまらない。マネの創作活動を通して、古典から現代にいたるまでの西洋美術の流れと、美術作品がなぜこのような構図や形態や色彩になっているかは、イメージの歴史という文脈において明快に解き明かされた。評伝という様式を極致まで転用した試みだ。

マネの画業を理解することは西洋絵画史を理解するのに等しい。この独自の見解を説明するために、三つの視点が用意されている。一つは、マネがどのように十九世紀以前の絵画伝統を学び、自らの創作に取り込んでいったかを跡付けることである。二つ目は、古典の受容を徹底的に行ったマネはどのように絵画の革新を試み、また、その新しさはどこに現れているかを作品ごとに検証することだ。最後に、現代美術に及ぼしたマネのインパクトを示して、古典と現代をつなげるマネの位置と作品の意義を再確認した。

破壊的な革新性を旗幟（きし）鮮明に打ち出し、物議や批判を怖れないマネだが、修業時代から一八六〇年代前半にかけて、古典的美術を謙虚に学んでいた。美術館、個人コレクション、展覧会に足しげく通い、気に入った作品を模写しては、伝統の絵画から多くの養分を吸収した。やがて、過去の名作から構図や形態やモチーフを大胆に借用し、改作あるいは再解釈の試みを通して、自らの芸術のあり方を模索した。その過程はマネの作品と古典とのあいだの呼応関係に対する緻密な照合作業によって明らかにされている。

過渡期の人物によく見られるように、マネは「新」と「旧」の特質を併せ持っている。印象派画家たちがサロンでの出品を諦め、自らの流儀を貫く独立の展覧会を開いているのに対し、マネは最後までサロンでの発表に固執し、公衆の支持を得ようとした。

画家としてまだ駆け出しの頃、西洋絵画の主流は歴史画か宗教画で、主題も神話、宗教、寓意、古代史などに限られていた。アカデミズムに反発したマネは近代の都市空間や同時代の生活に目を向け、しかも、その「負」の一面や卑近な部分もあえて絵に取り込んで憚らない。主題を大胆に一新しただけでなく、絵画表現においては、日本の浮世絵も参照し、平面性や鮮やかな色彩対比など従来にない手法を試みた。

とりわけ興味を惹かれたのは、イメージを等価に扱うという指摘だ。《老音楽師》などについての分析に見られるように、この画家はイメージの同質性をいち早く認識し、起源を問わずあらゆる視覚表象の断片を同一次元で操作し、独自の画風を作り上げようと試みた。その意味では、マネが現代のグラフィックデザインの先駆者といえるかもしれない。著者がマネの作品をメタ絵画と称したのもそのためであろう。

マネはそれまでの絵画のあり方を根本から変えただけではなく、後世の画家たちにも大きな影響を与えた。エドガー・ドガやクロード・モネなどの印象派や、セザンヌやゴーガンなどの後期印象派のみならず、ボナールやピカソら二十世紀前後の美術家たちにも巨大な影を落としたことは、丁寧な絵解きを通して示されている。

西洋絵画の膨大な画像のアーカイブから、マネが参照した作品や、マネが影響を及ぼした作品を次々と突き止める博識ぶりには圧倒された。人物やモチーフや細部描写についての何気ない指摘も、幅広い文献の渉猟と作品に対する徹底した吟味、並びに時代や人物の背景についての綿密な調査の賜物であろう。

何よりも専門性を意識しながら、一般読者にもわかりやすい言葉で語られているのはありがたい。領域を横断する画家の横顔を描いて、西洋美術史の転変をたどる。その鮮やかな手腕にはもはや脱帽するしかない。

手堅い考証で日記を読む手本示す

佐野真由子『クララ・ホイットニーが綴った明治の日々』

本書はクララ・ホイットニーという、一八六〇年生まれのアメリカ人女性の手になる日記を手がかりに、明治史を読み直そうとしたものである。

クララは一八七五年八月三日、父親の仕事で来日し、二十五歳のときに勝海舟の三男梅太郎と結婚した。長らく日本に滞在し、「勝海舟の嫁」として知られる人物である。

彼女は十二歳のころから日記をつけ始め、東京で過ごした日々の中で見聞きしたことをつぶさに書きとどめている。外交のために奔走する政治家やその周辺の女性たち、西洋文化を懸命に吸収しようとする人々、ならびに明治期上流社会の生活や風俗など、貴重な記録を残している。

しかし、専門家や一部の人をのぞいて、その日記は必ずしも広く知られていない。著者はクララの日記を素材に、丁寧な読みと周到な調査を通して、明治史の知られざる一面を再現してくれた。

文化史の過去を追うのに、人々の集まる場面に注目するのは優れた着想である。クリスマス・パーティ、貴顕の人の葬列、博覧会の閉幕式、外国要人の歓迎宴会など、公的なものであろうと、私的なものであろうと、社交の場には交わされた言葉があり、人々の表情やしぐさがあり、人と人とのつながりがある。そこにはさまざまな人間の関係性が示されており、時代の息吹を感じ取ることができる。また、会場の設営や飾り付け、参加者の着衣や振る舞いなどからも文化史の大切な細部が見えてくることがある。イベントを主催する側の意図や、実現させるための努力から、明治人が必死に目指していたことや、国作りの様子がくっきりと浮かび上がってきた。

とりわけ印象に残ったのは、グラント前アメリカ大統領歓迎の夜会と、明治天皇の観桜会についての考察である。行事の進行、途中の音楽演奏、会場での談笑、参加者の顔ぶれから、その服飾や面持ちにいたるまで、少女の目を通して観察されている。いずれも公文書にもメディアの報道にも見られない、生の人間の動きである。

しかし、本書は決してクララの日記をただなぞっただけではない。彼女の記述をもとに、幅広い資料調査を行い、その全体像に迫ろうとしている。緻密な考証を通して、日記に書かれていないことも明らかにされている。

日記は時系列につけられているとはいえ、記述されていることは必ずしもつねに時代の主流と同期（シンクロナイズ）しているとはかぎらない。日々の綴りは個人や家庭生活を中心としており、政治や経済の大きな流れから外れる場合も少なくない。著者はそのことを逆手に取り、個人的な往来に社会的、文化的な意味を見いだし、激動の時代のもう一つの顔を見事に描き出した。

ホイットニー家は来日前から日本人外交官や留学生と付き合いがあり、来日後もお雇い外国人に近い立場のゆえに、明治期の旧大名や華族や外交官らと幅広い交際があった。そうした人と人との交流を通して、政治家や財界人や社会活動家たちだけでなく、近代化を推進する人たちの家族がどのように西洋の言語や文化を習い、いかに交流の輪に加わっていたかが解き明かされている。

日記は個人的な言語行為で、一般に公開することは想定されていない。作為や虚飾が少ない反面、書き手の関心によって記述対象が狭く限定されることがある。また、書き手の記憶違いや勘違い、あるいは記述のまちがい、記述の漏れも免れないであろう。

著者は浩瀚な史料や先行研究を渉猟し、たとえ小さな疑問点でも、必ず一次資料と照らし合わせて、丁寧な検証を通して一つ一つ辛抱強く事実確認をしている。そうした努力のおかげで、新しい発見はいくつも導き出されている。日記から歴史を読む面白さだけでなく、いかに読むべきかについても見事な手本を示している。

共振作用による思想体系の変遷

中島隆博『中国哲学史』

中国において、物事の本質を究めようとする知的探求がどのような経過をたどって今日にいたったのか。そのことについて、外部との共振作用に目を配りつつ、批判的な検討が行われた。狩野直喜『中国哲学史』以来、じつに約七十年ぶりの挑戦である。

過去の思想体系の揺らぎを検証するのに、欧米の思考原理を主たる参照系としたのは、むろん西洋哲学という強力な磁場が引き起こした引力の変化を念頭に置いたものだが、それ以上に、経験世界から導き出された認識体系の特徴を際立たせるためでもあった。

時系列に沿った解析の技法によって、見えてきたのは哲学における分節化の構造と自己更新の活力である。

仏教が伝来するまで、中国哲学は独自の展開を見せていた。優れた思想家の多くが春秋戦国時代に登場したのは歴史の偶然ではない。周辺文明との相対的な優位性が続く中で、文化的他者の不在はかえって思索を深めるきっかけとなった。原始王国が形成する過程において、社会秩序をどう打ち立てるかは喫緊の課題で、孔子、孟子から荀子にいたるまで、春秋戦国時代の哲学者が地上的思考に徹したのはそのためである。

儒学は古典的な人間中心主義に傾いており、生き方や社会のあるべき姿にこだわっていた。そこから導き出されたのは主観意識の関与と、そこに立脚した秩序の確立である。

それに対し、老子は自然の観察から規則性を見いだし、その法則性を社会のあり方に応用しようとした、と著者は言う。さらに、司馬遷の叙述を手がかりに、『韓非子』を老子の政治哲学を実践に応用するテクストと位置づけ、アンヌ・チャンの説を踏まえながら、『淮南子（えなんじ）』にいたるまでの道家思想もよりよい政治のあり方を目指したものだとの結論が導き出された。荘子については一歩踏み込んだ検討がほしいが、的確な原典の吟味により、諸子百家はおしなべて政治哲学として構想されたという事実が浮かび上がってきた。

本書のもう一つの力点は、中国哲学と外部との相互作用に対する注目である。古代における仏教伝来はいうまでもなく、近世におけるキリスト教との出会いも、近代における西洋哲学の受容も中国哲学の遺伝情報を書き変え続けてきた。

仏教との出会いによる衝撃と、怒濤のような感化力はおよそ今日では想像できないほど大きかったであろう。儒学回帰を目指す動きは文化の自己防衛によるものだが、一面において、仏教がもたらした精神的な地滑りの大きさを物語っている。

六朝の文学批評や唐の古文運動が哲学の問題として吟味されたのも、仏教的思考は学識や教養を通して、内面世界への深い浸潤があったからだ。朱子学が言語哲学の様相を呈しているのは、むろん劉勰（りゅうきょう）の文論や韓愈の古文復興を抜きにしては語れないが、儒学の基本概念の再定義は宗教言語の力強さに啓発された一面もあった。

中国哲学史において、王陽明の心学は認識論において画期的なものである。「心外に物なし」という言葉は「我思う、ゆえに我あり」に比肩できるほど深遠なる思弁性を持っている。ここにいたって、政治哲学、言語哲学に続いて、知覚の哲学への道も開かれた。

仏教に比べて、キリスト教の影響は総じて軽微なものである。そのかわり、中国哲学に対する西洋の受け止め方は本書のもう一つの読みどころになっている。欧州の中国文明観が周期的に変化するというレーモンド・ドーソンの説は、どうやら哲学の他者認識にも当てはまるようだ。

近現代の中国哲学については成立の時点にさかのぼって語られているが、興味を引くのは、戦後の台湾における新儒学と、近年、大陸における研究動向である。専門用語の多い領域だが、簡にして要を得た説明のおかげで、知の迷宮めぐりが楽しいものになった。

八　知のアンテナを伸ばして

文化の政策的価値に注目する理由(わけ)

渡辺靖『〈文化〉を捉え直す——カルチュラル・セキュリティの発想』

ここ二十年に起きた大きな変化として、グローバル化とデジタル情報化を挙げることができよう。前者については文化の均一化を危惧する声はよく耳にするし、後者については情報帝国主義の膨張という批判がある。

時代が大きな転換を遂げたいま、世界や地域の文化をいかに把握すべきか。わたしたちはどのような文化的な課題に直面しているか。その問いかけに応答したのが本書である。着目されたのは「人間の安全保障」という新たな課題である。「人間の安全保障」とはやや耳慣れない言葉だが、一言でいうならば、すべての人々の生に着目し、貧困と絶望から解き放たれて生きる権利や人としての尊厳を守ることである。従来の物的支援に止まらず、文化環境の整備や人々の自信を取り戻すための文化活動が重視されている。

文化を論じる本として独特なのは抽象的な理論を展開するのではなく、また、政治との親和性を前提とする政策論のみを語るのでもない。両者がそれぞれ陥りやすい罠に留意しつつ、その橋渡しを図ろうとしている。

そのために二つの戦術が取られている。一つは理論面での障阻(しょうそ)除去である。書名の「文化」の二文字が括弧でくくられているのには理由がある。ある文化的特質を固有不変の「本質」として捉えるのではなく、その断片性や不完全性、文脈依存性を解き明かすことに力点を置く、という立場が示唆されている。

まず、グローバル化の問題に対し、肯定派と否定派の偏頗を指摘し、重層的な位相を踏まえた問題認識の重要性を説いている。スペインに始まったスローフード運動、国内外で展開する「琉球国祭り太鼓」などの実例を挙げて、グローバル化とローカルのどちらか一方が他方を単方向的に規定していくのではなく、循環的かつ混淆的な過程であることを確認する一方、肯定派の論理的な落とし穴や盲点をも明快に指摘した。その上で、グローバリゼーションを飼いならし、その負の側面を制御し、正の側面を活用することが提案されている。

もう一つは文化の政策的価値に対する注目である。文化と国家権力の関係に敏感になりながらも、国家ならびに地方の両レベルにおいて、文化の政策的価値を一概に拒否せず、「人間の安全保障」の資源としての活用が提唱されている。

パブリック・ディプロマシー（広報文化外交）はかつてもっぱら外交や政治学の問題として議論されてきた。文化観念論の領域ではほとんど語られることはなく、ましてや政策決定への関与は多くの公共知識人が潔しとしなかった。ところが、著者は日本をはじめ、世界各国での実践例を検討し、価値中立的な立場の可能性を示した。行政の現場においてナイーブな文化観に囚われた施策に任せるより、専門家の助言にもとづく文化創出のほうがはるかに有益である。グローバル化が進むなか、国際益と国益がますます不可分になっている。狭隘な国益理解に縛られた「対外発信の強化」はかえって国益を損なう内省力や自己批判の能力こそがメタ・ソフトパワーにほかならない。研究者たちは象牙の塔に蟄居するのではなく、自ら参与することで地球文化を変えていくことができる、と著者は力説している。

文化理論に親しんできた者にとって読後の驚きは大きいであろう。その分、啓発されることもまだ多々あると思う。一九六〇年代以降、文化人類学の分野ではパラダイムの転換が起きて、とりわけ八〇年代以降になると、隣接分野の影響も受けた。そうした一連の変化によってもたらされた知見が随所で参照されている。文化人類学という学問分野が歩んできた道を振り返り、将来への展望を視野に入れながら、現在の立ち位置を内省的に再確認する最終章も、学問と真摯に向き合う著者の姿をうかがわせて面白い。

予測困難な時代を生きる知恵袋

山崎正和『日本人はどこへ向かっているのか』

二十一世紀に入ってから、世界はますます混迷の度合いを増してきた。イギリスでは国民投票の結果、EU離脱が決まったし、アメリカでは史上もっとも不適格といわれた人物が大統領選で戦うことになっている。経済格差や社会格差は拡大し、テロの攻撃はヨーロッパ社会を悩ませ続けている。国内を振り返ると、難しい経済状況が続いており、少子高齢化、年金問題、医療費急増など、難題が山積している。

予測困難な時代を迎えて、どうすればよいか。この問題に正面から答えたのが本書である。二〇一二年から二〇一六年まで、新聞や月刊誌に発表された文章を中心に編まれた書物だから、いきおい時事的な問題が多く取り上げられている。しかし、時間が経って読んでもまったく古く感じないのは、現象の表層をなぞるのではなく、問題の本質を的確に捉えているからだ。世界的な視野と、豊かな学識と文明史的な眺望があって、はじめてなせた技であろう。

論じられたことは大きく国内政治、外交と個人の生き方の三つに分けられる。政治は有権者の生を可能なかぎり、物心両面において充実したものにするための営みであり、外交は国家の機能を最大限に発揮するための手段である。その中心をなすのは主権者である国民一人一人が望む生き方であり、それを体現する集合的意志である。

国内の問題とはいっても、グローバルな課題とは切っても切れない関係にある。「イデオロギーの終焉」を受けて、政治的信念の根本的な対立は目立たなくなり、長期的な国家像や社会の未来設計についての論戦もあまり聞こえなくなった。しかし、憂慮すべき事態が待ち受けている。科学史、物理学や経済学の知見を援用しながら、著者は戦慄すべき未来像を示してくれた。二〇〇六年の人類はすでに地球一・四個分の資源と環境を消費し、資源の埋蔵量は現在の推定の二倍あったとしても、二〇四〇年頃、人口が九五億におよんだときに破局を迎えてしまう。一九九八年、六〇億だった世界人口（国連の統計）は、わずか二〇年足らずのあいだに十三億も増えた。近い将来、エネルギーはいうまでもなく、生命を維持する水や食料も足りなくなり、世界的な奪い合いになるのであろう。資源の枯渇化、環境破壊の深刻化、人口急増などに備えるためにも「持続可能な成長」からの脱却は不可欠だとする指摘には首肯するしかない。

将来を展望する上で、もっとも重要なのは次の世代をいかに育成するかだ。著者が一貫して教育の問題を注視したのもそのためである。大学入試を高校生の達成度試験に変えることや、大学に在学のまま数年休学し、その間ボランティアや留学を認める「ギャップ・イヤー」は著者の提唱によるもので、現在、その一部はすでに採択され、運用が予定されるものもある。

まだ記憶に新しいが、つい三、四年前に外交問題、なかんずく中韓との関係が注目を集めた。やや感情論に傾いていた与論に対し、著者は戦後日本の歩んできた道を振り返り、冷静な対応を呼びかけた。今日の日韓関係の改善はその正しさを見事に示している。

興味を惹かれたのは体験的な高齢化社会論である。これまでにもさまざまな議論が交わされてきたが、高齢者自身によるものは皆無に等しい。著者は自らの施設利用経験から、介護の社会化という極めて大事な論点を提起した。

近年、介護に起因するトラブルや介護殺人が多発している。これらの問題を根本的に解決するには、国や地方自治体あるいは民間の力を借りて、家族を介護という重荷から解放するしかない。そうすることによって、介護問題を社会の力で解決できるだけでなく、介護離職を減らし、雇用の創出にもつながることになる。

国民投票の弊害についての警告や、感情的な「世論調査」への疑問など、ほかにも傾聴すべき意見が多く、日本の明日を考える上で、役立つ知恵がいっぱい詰まっている。

出版文化の先駆者の全貌が明らかに

植田康夫、紅野謙介、十重田裕一編『岩波茂雄文集』（全三巻）

明治に入ってから、日本の出版文化はかつてないほどの繁栄を遂げ、個性的な出版人が輩出した。そのなかでも岩波茂雄はひと際目を引く存在である。これまで少なくとも六種類の伝記が刊行されており、そのうちの二点は三年半前にほぼ同時に出版されている。日本はいうにおよばず、世界でも珍しいであろう。

一出版商がこれほどの注目を集めたのはなぜなのか。時代の波に乗り、明治の末から良書を出し続けてきたことで、近代日本の知性の醸成と向上に寄与し、知識と教養の普及だけでなく、近代エートスの形成にも大きな役割を果たしたことが広く認められたからであろう。ただ、理由はそれだけではない。岩波茂雄は出版社の経営者ではありながら、漱石の木曜会に加わったり、文化活動をも積極的に支援したりしていた。同時代の知識人たちの活躍に裏方の役に徹する一方、思想的にもなるべく寄り添うように努めていた。

ただ、人間の心の機微というものは雨滴のように透徹したとは限らない。岩波書店といえば、リベラリズムという言葉を連想する人が多いが、岩波茂雄はリベラリストであると同時に、ナショナリストでもあった。近代には同様の矛盾を内に抱える人物はほかにもいたが、文学者たちは内面の葛藤を自覚し、思想の揺らぎを隠しがちなのに対し、市井人の岩波茂雄はおそらく己の書き残したものが、後に魂のリトマス紙になるとは予想していなかったであろう。実際、残された資料の大半は活字ではなく、タイプ原稿のままである。それだけに、執筆のときにいたずらに右顧左眄したり、本音を美辞麗句で包み込んだりすることをしない。その言論を仔細に検証することで、近代日本精神史の襞の部分を覗くことができる。

三巻からなる文集は時系列に編まれている。第一巻は杉浦重剛に請願書を送った一八九八年から欧米視察旅行をした一九三五年までで、第二巻は翌一九三六年から本人が還暦を迎えた一九四一年までだ。最終巻は一九四二年から死没した一九四六年までの文章が収録されている。これまで断片的なものが新聞や雑誌に散見するだけだが、この文集によって、ようやくその全貌が明らかになった。

岩波茂雄は文筆家ではないから、文集とはいっても、従来のものと内容がずいぶん違う。エッセイ、回想や旅行見聞記だけでなく、書簡、内容見本、刊行の言葉、広告から挨拶文にいたるまでさまざまな文章が収められている。

近代という名の過去と交信するとき、わたしたちは無機質の記録か選別された言説と相対するしかなかった。しかし、過ぎ去った時代の足音を聞き取るには、多様な響きに耳を傾ける必要がある。語りの残骸から失われそうな声をすくい上げることがいかに重要かは、本書の編集からその一斑を見ることができる。

一九三五年、美濃部達吉の天皇機関説が政治問題化し、反逆思想として攻撃された際、憤慨した岩波茂雄は「危険思想」という一文を草し、朝日新聞の「鉄箒」欄に投書した。掲載されれば「社も岩波も厄介なことになる」と心配した社員の小林勇は後に支配人になった堤常と相談して原稿を取り下げたため、活字になっていない。小林勇の『惜櫟荘主人』に引用があるものの、今回の校訂を経て依拠できる原本がようやくできた。また、交友関係に「右も左も、白も赤もない」と公言した岩波だが、それを証する資料として、頭山満の米寿祝い挨拶などが収められているのもありがたい。

戦前の出版人のなかで、岩波茂雄は珍しく国際的な感覚を持ち、海外での販売も視野に入れていた。とはいえ、読書市場はほとんど国内に限られており、経営的な合理性のためにも、国内の与論に気を配らないといけない。近代社会の市民として生活し、職業を通して社会参加している以上、本人の意志にかかわらず、一個人として国家論理のなかに組み込まれることになり、連鎖する国民的な関係性から自由になることはそうたやすいことではない。とりわけ、共同体の運命が危機にさらされたとき、内なる論理に従うのみならず、感情の同一化も要請される。岩波茂雄のそうした二面性も一連の有機的に関連する資料によって浮き彫りにされた。

この文集にはルーティンの文章が多く含まれており、文脈がはっきりしないものも少なくない。解題では収録された文章ごとに初出や底本など書誌学的な情報が示されているだけでなく、文章の背景についても説明が行われている。一見何気ない言葉にも調べるのに多くの労力が払われたのであろう。

正確な注釈、緻密な解題と並んで、この種の書物の成敗を決めるのは解説のあしらい方である。巻別の解説はいずれも文学史、メディア文化史、書誌学の専門知識に裏打ちされたもので、執筆者たちの学識と洞察の深さの一端が示されている。収録された文章の理解に資するのみならず、近代出版文化史を知る上でも読み応えのあるものである。

政治力学と指導者の意志　外交左右

国分良成『中国政治からみた日中関係』

日中関係はかつてないほど冷え込んでおり、相互イメージも悪化の一途をたどっている。感情的な対立は理性にもとづく判断力を低下させ、健全なる政治精神は知らず知らずのうちに蝕まれている。世界第二と第三の経済力を持ち、相互依存がますます深まっている以上、無用な対立は双方に不利益をもたらすだけである。ましてや、正面衝突となれば、取り返しのつかない破局を招くであろう。現状をいかに改善し、アジアの将来にもかかわる日中関係をどう正常に戻すか。粗雑な言説が幅を利かしているいま、問題解決の糸口を示唆してくれる書物が現れた。

日中が相互嫌悪の悪循環に陥った理由について、これまでさまざまな仮説が提起されている。歴史問題についての認識の違いに原因を求める人もいれば、日中のパワーシフトに伴う感情的な軋轢に帰する人もいる。また、領土や資源などをめぐる国益的対立に起因するとの主張もある。それに対し、本書は両国関係の構造的な側面に着目し、内政が外交の天秤をいかに傾かせたかを解き明かそうとした。

用意されたのは政治史の展開を丁寧に点検するという手法である。毛沢東が死去し、鄧小平が最高実力者になってから今日にいたるまで、中国政治はどのような道をたどってきたのか。第Ⅰ

部では五つの時代的な特徴にもとづいて論じられている。

権力闘争という視点から中国政治を分析するのは本書の最大の特徴である。この場合、情報の真偽分析に細心の注意を払わなければ、街談巷説に踊らされやすい。本書が憶測の罠に落ちなかったのは、政治運営の過程と政治体制の来し方行く先について、手堅い実証分析が行われているからだ。

中国政治の特徴についての分析を踏まえ、第Ⅱ部では国交回復以来の日中関係史を三つの時期に分けて詳細な検討が行われた。一九七二年から九五年までの第一期は「一九七二年体制」と名付けられ、この時期は基本的に「日中友好」の時代と見る。その間、日中友好条約が締結され、天皇訪中も実現された。波風がなかったわけではないが、日本でも中国でも戦争を経験した政治家がいて、彼らは良好な関係の維持を最優先した。

一九九五年から二〇〇六年までの第二期になると、摩擦が顕在化した。日中のパワーバランスが大きく変化するなか、歴史問題を中心に両国間の確執が強まった。そして、二〇〇六年から現在までの第三期は戦略的互恵関係を模索する時期に入り、一部に関係改善の兆しもあったものの、領土問題などをめぐって不安定な関係は今日もなお続いている。

俯瞰的な視野の広さと細部を吟味する緻密さは複雑極まりない事象の本質を見抜くのに大きな力を発揮した。中国国内の政治力学は日中関係にどのような影を落としたかについて、光華寮問題、歴史認識問題や領土問題など日中外交史の大事件を取り上げて論証されている。そこで、見えてきたのはいくつかの共通した特徴である。一つは中国の対日関係はつねに国内政治の季節風に晒されていることだ。胡耀邦がトップの座から追われたとき、その親日政策がやり玉に挙げられ、大胆な市場化に伴い、自由主義的傾向が高まると、愛国主義キャンペーンが開始された。また、胡錦濤の時代には「反日」が主流派に対する攻撃の材料として使われた。

二つ目は最高指導者の個人的意志が外交にも影を落とすという特徴である。鮮明な対照をなしたのは胡耀邦と江沢民の二人である。前者は中曽根康弘元首相と個人的な友情があり、日中国民の友好を真摯に願い、その促進に尽力した。一方、江沢民前国家主席は青少年期の体験もあって、日本に対する姿勢は厳しい。

外交が内政の延長である以上、国際政治の舞台には国内政治の軋みが必然的に伝わってくる。重要なのは原因の所在を明らかにし、危機が生じたときにいかに最善の対策を導き出すかだ。今後も揺れが予想される日中関係について考える場合、本書から学ぶことは多い。

哲学構想仕上げの身体論

山崎正和『リズムの哲学ノート』

リズムは天体の運動から生命現象にいたるまで世界のどこにも遍在し、日々の生活のすみずみまで満ちている。だが、いざリズムとは何かと聞かれると、ほとんどの人は答えられないであろう。この難問に挑戦し、哲学の問題として正面から論じる書物がついに現れた。

本書でいうリズムは常識的な意味を超えた広がりを持っている。著者の言葉を借りれば、それは随時、随所に生じては消える現象で、個々の流動がみずから生み出した場の上を流れる、循環の構造だという。月の満ち欠け、季節の推移など自然の法則性、あるいは音楽、舞踊といった文化の律動などは直感的に気付きやすいが、一方、電磁波、地震波、重力波などのように、物質のあり方、あるいは伝達の形態を取るものもある。身体も生のリズムの一単位だから、その本質を捉え、わかりやすく説明するのはたやすいことではない。そこで、時間、身体、認識、科学などいつくもの視角が用意され、リズムとは何かを徹底的に問い詰めていく作業が行われている。

本書は『装飾とデザイン』や『世界文明史の試み——神話と舞踊』の続編であり、一面においては前著に対し、補説的な性格も持っている。むろん主題がそれぞれに異なり、前著は内容構成などの原因で深く立ち入りできなかった点について、本書で徹底的に再検討された。その意味では、本書は『演技する精神』に始まる、壮大な思想史構想の完結編であり、山崎哲学の総仕上げともいえる。

そうした一連の論考の根底には、西洋哲学史を貫く一元論的二項対立に対する批判が込められている。著者は、精神と肉体、主体と客体、形式と内容といった概念は対立する一面だけでなく、連続した部分もあると考えている。両者は分け難い局面があり、その流動的な徴候を直視する必要がある。このような哲学の知見を拠り所にして、身体論に対する批判的継承と理論的な展開が図られている。

周知のように、肉体と精神を対立概念として扱う立場はギリシア哲学にさかのぼる。キリスト教においても魂が救済の対象で、肉体はただの借り物に過ぎない。長いあいだ西欧の思弁性には身体を蔑ろにし、精神を過剰に重視する傾向がある。とりわけ哲学的な言語によって精緻に語られたデカルトの「物心二元論」の影響は大きい。近代観念論にいたっては、肉体は知覚の対象に過ぎず、身体は精神作用の結果と見なされている。そのような思想的な文脈において、身体論はいわば前者に対する批判的な思考として登場した。

著者はメルロー＝ポンティやベルクソンの身体論を踏まえながらも、その規矩に囚われることはない。むしろ、茫漠たる思索の海に、現代に相応しい探求の錨を深く下ろそうとしている。メルロー＝ポンティにおいて、身体が抽象化された概念であるのに対し、著者は演劇や舞踊、あるいは作業など、身体の具象的な側面に多く着目している。また、ベルクソンは存在や意識を持続して流動する過程として捉え、精神も肉体もその過程の対極をなす極相だと見ていたのに対し、著者はそこからさらに一歩踏み込んで、ベルクソンがいう「純粋持続」という動態には規則性があり、その規則性とはずばりリズムだと見抜いた。さらに、リズムの動態の仕組みを捉え、その深層構造と意味作用を解き明かした。鋭い洞察力にもとづく見事な理論構築である。

緻密な論証と魅力的な語り口は知的な刺戟に満ちている。先哲たちの名著から同時代の思想にいたるまで、哲学史の水脈は明快に交通整理されている。読んでいると、まるで楽しい脳内散歩のようで、思わずその議論に参加したくなる。

近年、ＡＩ知能が急速の進歩を遂げ、人と機械の対話だけでなく、外界の刺戟に対し、ロボットは感情的な反応を示せるようになった。果たして意識を持つ人工知能が現れてくるのか。日進月歩する技術の将来を考える上でも、読まなくてはならない智恵の書だ。

中立的な立場から束の間の友情を描く

加藤徹、林振江『日中戦後外交秘史――1954年の奇跡』

終戦直後、日本が直面していた大きな問題の一つは海外邦人の引き揚げである。中国に取り残された日本人の大半は、蒋介石の中華民国政府の協力で帰国を成し遂げた。しかし、国共対立とそれに続く内戦により、まだ一割ほど取り残されている。大陸を掌握した共産党中国とはまだ外交関係が樹立していなかったため、邦人の引き揚げは中止を余儀なくされ、戦後復興期を迎えても、なお進展がないままであった。

一九五三年の春、状況が大きく動き出した。三月中旬、四九三七人を乗せた第一次帰国船が京都の舞鶴港に到着し、その後、帰国者は次々と日本に戻ってきた。

山を動かしたのは、中国の赤十字会長を務める李徳全という女性である。クリスチャンである彼女は衛生部長（厚生大臣）を兼務しており、官民両方の顔を持っている。翌五四年、彼女は大きな手土産を持って日本を訪れた。戦犯リストを公表し、全員を帰国させる意思を表明して朝野を驚かせた。

近代史の一幕として、これまでも断片的に言及されてきたが、本書は日中双方の資料を駆使し、わかりやすい言葉でその顛末と舞台裏のすべてを再現してくれた。

学問としての外交史研究は史料の発見、収集と検証が主要な方法で、史料の吟味と批判は不可欠な手続きである。その反面、当事者たちの心情や人柄がどのように歴史に影を落としたかについてはほとんど語られない。

書名の「秘史」が示唆する通り、著者が着目したのは過去が持つ「物語」としての側面である。表舞台での動きを通して、歴史を動かす人たちの意図と気持ちを捉えようとしている。

国際社会で起きたことは小学校の教室でもよく目にすることができる。成績一位と二位の子はだいたい互いのことを面白くないと思うし、二位と三位も反りが合わないことが多い。大人から見てどうでもよいことでもいがみ合い、相手を出し抜こうと隙を狙っている。

しかし、ビリたちはまったく違う。彼らは失うものはないから、いつも朗らかで、いつも愉快である。相手のことを敵視しないどころか、互いに親近感を持ち、すぐに仲良しになれる。

五〇年代はじめの日本と中国はまさに国際社会という教室の隅っこにいるビリ同士であった。李徳全の訪日に対する歓迎ぶりは、今日では理解しがたいほど熱狂的であったが、それは決して偽りでも演出でもない。本書が活写したのは束の間の友情だが、ビリたちの本心から発したのは間違いない。過不足のない背景紹介は、過去という氷山に登るための強力なピッケルになっている。

本書でもう一つ特筆すべき点は価値中立的な立場である。李徳全の来日は美談としてではなく、事実に基づいて双方の動機が冷静に語られている。中国側が邦人帰還のさきに見据えたのは新政権の承認という打算である。日本の朝野も貿易の再開と経済関係の拡大を目論んでいた。著者はどちらかの肩を持つのではなく、日本に対しても、中国に対しても思い入れや先入観は一切排除されている。

人間像にまつわる伝説はいつも柔らかい隠喩として外交の場の緊張をほぐしてくれる。著者は人物の過去にもさかのぼり、その人が歩んできた道をたどることで、全体像を浮かび上がらせようとした。主役の李徳全や廖承志はもちろん、吉田茂の遠謀深慮や日赤の島津社長の苦心など日本側の関係者の動きも生き生きと描き出されている。

歴史はたんなる無機質な記録ではなく、その裏には個々人の切実な体験があり、泣き笑いがある。表舞台で活躍する人たちの動きを通して、読者はその背後にいる多くの人たちの気持ちに思いを馳せ、未来に向ける想像力を働かせることができるだろう。

外交戦略を構想するための理論構築

北岡伸一、細谷雄一編『新しい地政学』

現代世界は多くの問題に直面している。米中対立はますます激化し、周辺地域の情勢も不安定である。中国やロシアは民主主義や人権、法の支配について欧米や日本と価値観を共有しておらず、対内的にも対外的にも従来の立場から大きく後退している。大国としての地位と威信を確立するため、地域的な勢力圏の拡大を図ろうとしている。

このような状況に対応するためには、日本は長期的な外交戦略をどう構想すべきか。本書が出した答えは新しい地政学にもとづく思考だという。

「新しい」とは、民主主義という価値観の共有と規範の確立を前提とし、古典的な地政学の社会進化論的な思考は止揚されたことを意味している。むき出しの利益追求と支配権の拡大を目指さず、国際社会においては力による現状変更を認めず、法による支配にもとづく秩序を確立しようとする。

冒頭から古い地政学と新しい地政学の違いが説き起こされ、地政学がたどった歴史が概観された。それを踏まえて、新しい理論構築の根拠は豊富な実例を挙げながら、わかりやすく示されている。

地政学にもとづく外交手段は多種多様で、政治力や軍事力のみならず、経済力、文化力なども含まれている。外交武器としての経済制裁、経済援助、経済関与についての検証は当事国の心拍数と体温まで想像させて興味を引く。立場の違った国々の政治行動については、幅広い比較を通して精緻な分析が行われ、日本の経済安全保障のために説得力のある提言がなされている。

地域ごとの地政学についての紹介には知られざる事実が次々と披露されている。なかでも、ロシアは九〇年代の終わり頃から独自の地政学の理論が打ち出され、それにもとづいて外交戦略や近隣関係が構築されているのは驚きである。それに対し、アフリカと中東は古典的な地政学の産物であるという指摘は問題の核心を突いており、複雑極まりない対立や衝突を読み解くカギにもなっている。地域紛争や民族紛争が深刻さの度合いを増しているいま、地政学の知見は紛争構造の分析に力を発揮するだけでなく、紛争解決の手段を考える上でも有益な助言を与えることができる。

学問的手法を更新することによって、新たな可能性も開かれた。新しい地政学は地理的変数を通して、国際政治を分析し、予測するためだけの研究方法ではない。南北格差、人口問題、気候変動、環境問題など地球的な問題も視野に入れ、より広く人類の課題に眼差しが向けられている。

国際協力において地政学的な考慮が必要だという提言もその一例である。古典的な地政学は大国間の競合関係が学問の水面に現れた影であるとすれば、新しい地政学的な思考は難民問題、感染症、地球温暖化や食糧危機などの問題を解決する際にも、よりよい方法を導き出すことができる。

日本発の新しい地政学は国際情勢の変化に応えるもので、本質的には防御的思考と親和性を持つ傾向がある。ただ、外交政策は発信の仕方によっては、関係国を刺激することもありうる。無用な敵対を増幅させないためには、パワーゲームの節度をわきまえ、対立や衝突をコントロールし、破滅的な局面を回避する知恵も新しい地政学に求められるし、また、日本発だからこそ可能であることが、多様な視点の提示を通して示唆されている。執筆者はそれぞれの分野の代表的な研究者であるにもかかわらず、専門外にもわかりやすく書かれているのがありがたい。

天下を考え、文雅を忘れない

芳賀徹『外交官の文章——もう一つの近代日本比較文化史』

近代日本において、文学的才能に恵まれた駐日大使には事欠かない。外交の第一線で活躍しながら、詩人だったり、文筆家だったりする人もいた。その筆頭格として挙げられるのはフランス大使のポール・クローデルであろう。むろん、日本の外交官も引けを取らない。対外交渉の現場で敏腕を振るいながら、名文家として誉れが高い人物はいくらでもいた。

著者はそのことに着目し、国際舞台で活躍した人たちが書いた文章の魅力と、そこに浮かび上がってくる豊かな個性や非凡な見識を、彼らが残した回想録や書簡、詩歌などを通してつぶさに再現させた。

栗本鋤雲をはじめ、十人近くの日本人外交官と、オールコック、クローデルなど四人の駐日大使や参事官を列挙してみると、なるほどいずれも文雅の趣をよく解した人たちばかりである。彼らは天下国家のことを日々考えつつも、自然の風物に親しむ情趣を忘れていない。オールコックは攘夷派による暗殺の脅威に晒されるなかで、江戸の「春は私たちの上にほほえみかけていた」のを肌で感じ、「桃の木はいっせいに花ひら」いた「この明るい風土、この美しい国土」の温もりに感動した。ポール・クローデルにいたっては、「はるばると　わが地の涯より来りしは／初瀬寺の白牡丹／そのうち一点　淡紅の色を見んがため」と、異国の風景に魅せられた心境を短歌のような詩形に詠み込んだ。

こうして、著者はまるで麗らかな昼下がりに言葉の花畑をそぞろ歩いているかのように、気に入った詩句の草花を摘んでは、そのしおらしさを想像の画布に意のままに思い描いていった。テクストを読み解く手際は相変わらず鮮やかなもので、紙背に徹す眼光には寸分の狂いもない。岩倉使節団の『米欧回覧実記』の漢文読み下し文体も著者の手にかかると、たちまち生彩を放ち、どの断片的な記述も一瞬にして輝きを取り戻すものになった。

むろん本書の眼目は外交官の文章芸を解読するだけではない。文章の綾は外交というフラスコに点じた試薬のように、その人物の強靭な精神性をいかに劇的に現出させたかが、得意の手法で解き明かされた。

幕末や明治時代の外交官は和漢洋にわたる幅広い英才教育の陽光を浴び、若くしてさまざまな修羅場に引き出されていた。時代の大変革のなかで、現実への洞察力と果敢な行動力や胆力が鍛えられた。条約改正や日英同盟の協議など、国際社会で風雲急を告げたとき、文人外交官たちがいかに悪戦苦闘していたかは、選りすぐられた文書の吟味によって、生き生きとよみがえってくる。

戦後の日本外交につながる人物として幣原喜重郎と吉田茂に注目したのは烱眼(けいがん)であろう。二人が内輪の論理に引きずり回されることなく、世界の大局を的確に把握し、国際派に徹することができたのは、専門性を凌駕する知性と理性を備え持っていたからだ。吉田夫人・雪子への言及はプリズムのように舞台裏の光と影を揺らして心憎い。官僚の世界では「文学的」とは揶揄と軽蔑を込めて用いられている表現だというが、幅広い教養こそ日々変化する状況への対応力、冷静な判断力の土台になっていることは、本書によって雄弁に示されている。

著者は三十代半ばにして処女作の『大君の使節』を世に問い、近代日本人の西欧体験の研究に先鞭をつけた。以来、日本人の精神的原風景を訪ねようと、俳句、詩歌、絵画へと射程を延伸させていった。米寿にして原点に立ち戻り、墨汁が滴るような筆致で自らの研究生涯に重厚な句点をつけた。病床の中で校了を見届け、溘然(こうぜん)として大往生を遂げた。瀟洒な一生に花を添える、快活な最終楽章であった。

都市のあり方を思索するために

吉見俊哉『東京裏返し――社会学的街歩きガイド』

やや隠喩ふうの書名だが、副題が示したように街歩きの本である。都市の歴史を語り、そこに住まう人々をめぐる逸話を紹介する点では類似の書物と変わらない。しかし、従来の町案内や文学散歩と違って、街歩きを通じて東京に対する見方や考え方をひっくり返すのが本書の狙いである。

都市を空間的な展開として捉えるだけでなく、時間的存在として理解することは新たな発見の岸辺へ導くきっかけとなった。長い歴史的時間の積み重ねとして東京の街を眺めると、中世以前の時間層と近世江戸の時間層、明治以降とさらに戦後の時間層が継起しながら、折り重なっていることがわかる。戦後、都心は大規模に改造され、文化の中心は六本木や青山から原宿、渋谷一帯に移った。しかし、中世や近世の時間に目を転じると、浅草、上野、本郷、湯島、神保町など都心北部において歴史時計の刻み方が違っていることがわかる。

効率を重視する現代では、スピードが美徳とされている。地上にも地下にも分刻みの正確さを誇る電車が走り、頭上には高速道路が張り巡らされている。しかし、過去の時間層を旅するには緩やかな速度のほうが相応しい。それにぴったりなのはゆったりと走る路面電車である。時速十三〜十四キロの速さで移動しながら車窓の外を眺めると、見過ごされやすい街の表情や忘れられた風景が蘇(よみがえ)ってくる。レトロな雰囲気を楽しむのではなく、過去と現在の響きあい、街と人生との結びつきを感じ取るためである。

上野・湯島を中心とする地域に目を凝らすと、そこには「聖なる時間」のアウラが立ち昇っていることに気付く。神田明神、湯島天神、湯島聖堂、ニコライ堂、カトリックの神田教会などの宗教施設が集まっており、近くにイスラム教のモスクもできている。宗教的な多様性はとりわけ都心北部に際立っており、六本木や青山など流行の先端をゆく地域と鮮明な対称をなしている。

川からの眺めも意外な視点を提供してくれる。ビルが川を背にして建っている現在、川からは東京の裏しか見えない。かりに川からの眺めを東京の表の顔に変えれば、東京を裏返すことができるだろう。

これまでにも街歩きは何度かブームになり、時好に肖(あやか)った書物も少なくない。その場合、街歩きは場所の喪失や場所の過剰と共振することが多い。その意味では、街歩きは都市情報の加速度的な更新に伴う、物語の忘却と記憶の再生とのせめぎ合いによって生じた火花といえる。

それに対し、本書が目指すのはたんに歴史の木蔭を再現させるだけではない。古きを知ることは、新しい都市風景を創出するためである。実際、今後の都市のあり方について具体的な提案が示されている。その最たるものは路面電車の復活である。荒川線の片方の終点である三ノ輪橋から南千住まで伸ばし、もう一つの終点早稲田からは飯田橋まで延伸する。第二段階では、南千住から南下し、「山谷」を通って隅田公園に出て、浅草を右折して上野に進む。そこから秋葉原、神保町を経由し、水道橋にいたってからは神田川沿いに飯田橋にいたる。そうすると、第三の都心環状線ができあがる。ヨーロッパの都市ではトラムが復活し、都心の交通手段としてその役割が見直されている。東京でもトラムの復権は街を再生するきっかけになる、と著者は力説する。

そうした計画が実現された暁には東京はまったく違った景観を呈することになるであろう。書名の「東京裏返し」にはそのような願いが込められている。

民意を反映する流れのきっかけ

北岡伸一『明治維新の意味』

近代史の大きな政治変革として、明治維新はつねに関心を集める話題である。二〇一八年、一五〇周年を迎えたこともあって、研究書はいうにおよばず、一般向けの読み物も数多く刊行されている。そのなかで、本書は着眼の斬新さ、論述の明晰さ、目配りの広さにおいて群を抜いている。

最大の特色は政治外交史の視点から政治決定の過程を捉え、合意形成がどのように達成されたかを検証した点だ。自由民権運動、憲法制定までを対象としたのもそのためである。

いかなる政治改革も支配側にとって大なり小なり自己否定を意味している。ましてや権力交代となると、当事者にとって死活問題になる。体制の転換にはしばしば超法規的な手段が用いられ、当事者が衝突したり、流血を招いたりすることも珍しくない。しかし、大政奉還のとき、国が大混乱に陥ることはなく、周辺国に比べると、戦争ごっこのような局地戦しか起きていない。版籍奉還、廃藩置県、地租改正などはいずれも既得権益が大きく損なわれる大改革であるにもかかわらず、内戦どころか大きな政治的危機にもならなかった。なぜ、日本はそれができたのか。海外でもしばしば議論されていた。

著者が注目したのは、公論にもとづく国家の意思決定である。むろん、「公論」とはいっても、現代とは意味がずいぶん違う。五箇条の御誓文（ごせいもん）は「広く会議を興し万機公論に決すべし」と冒頭に掲げているが、ほんらい、想定したのは藩主などの有力者であった。だが、「公議輿論（こうぎよろん）」は当事者のあいだに一種のコンセンサスとなると、やがて、有力者だけでなく、有能な下級士族の発言力も増大した。こうして、政治を担う意志と能力のある人間は徹底して議論を尽くし、ベストの政治決定を下す気風が徐々に醸成されるようになった。

同じ観念でも時代によって、必ずしも変わらないものではない。「公論」の概念的活力は維新直後の政権運営に生かされただけでなく、のちに憲法制定、議会開設などにもつながり、政党政治の発展に寄与した。その意味において、著者は明治維新のことを「民主化」と称している。むろんそれは比喩的な表現で、政治の民主化が成し遂げられたというのではない。ただ、民意を反映する政治が形成される歴史の流れにおいて、明治維新はきわめて大切なきっかけを作ったのは確かなことである。

国際協力活動に携わり、途上国支援の先頭に立って活躍してきた著者の経験は本書にも生かされている。とりわけ、同時代の清国や朝鮮との比較は興味を引く。同じ儒教国でも知識人の世界認識は彼我のあいだに歴然とした違いがある。幕末の武士は漢詩文の教養を身につけたが、軍事的な視点は失われていない。西洋の砲艦を見ると、一瞬にして勝てないことに気付いた。彼らは現実を直視しており、精神力にたよることも、過剰な自文化優位の意識に囚われることもない。

清国は早くから外交使節を欧米に派遣したが、岩倉使節団のように、政権中枢の人物が自ら海外に赴いて視察し、その経験を政治や経済の改革に生かそうとする人物は現れなかった。日本は儒教文化の中心から離れている分、周辺的な経験はかえって世界を冷静に眺め、合理的に行動することを可能にした。

明治維新をめぐる国際関係についても同じ視点から見ると、多くのことに気付かされる。琉球、朝鮮、さらには中国など周辺国や地域との向き合い方は一方通行的なものではなく、複数の政治力学の共同作用による結果が明らかになった。

近世から近代への転換を動態的に捉えながら、価値の権威的配分において多数による意思決定がどのように定着したかが解き明かされただけでなく、国家のあり方の将来を考える上でも多くの示唆を与えてくれる。

九　境界を超えた眺望

感覚的な表象にひそむ可逆的な関係性

鷲田清一『つかふ――使用論ノート』

「使う」という言葉は日常生活のなかでよく用いられており、ふだん誰もが何気なく口にしている。鷲田清一はこのたった一つの単語から魔法のように思考連鎖のスペクトルを現出させ、感覚的な表象にひそむ可逆的な関係性について哲学的な定位を試みようとした。

「使う」とはいわず、「つかふ」と表記したのは、言語形態の指示性の落とし穴を避けるための布置である。古語ふうの表記なら、「使ふ」のみならず、「仕ふ」「遣ふ」などの語形も含まれており、拡散する意味の波動を見極めることができる。

身近なことから語り起こし、いつの間か読者を哲学的な思索の森に導いてしまう――鷲田清一の得意芸だが、本書でもその本領が遺憾なく発揮されている。育児中のおんぶや抱っこ、友人、知人ないし通行人への手助け、福祉や介護の現場での世話など、わたしたちの身の回りには人を「使う」/人に「使われる」場面は少なくない。鷲田清一がそこで見たのは、「使う」と「使われる」のあいだに生起した位相の交わりであり、関係性のずれや反転である。

使用の表徴といえば、人間同士よりも人間とモノとのかかわり方の遠近法において顕在化する。道具、機械、家畜、資源など、人間が利用する対象はわたしたちの身の回りに遍在しているが、人を使い、人に使われるというとき、比喩的な想像力がたぶんに働いているのに対し、モノを利用したとき、文字通りモノを人間の意向に添わせることであり、対象に働きかける主体の優位性がはっきりしている。

他者との関係は愛する／愛される、助ける／助けられる、労わる／労われる、暴力を振るう／振るわれるなど、さまざまな形で絡み合ったとき、感情も連動して揺れ動く。それに対し、モノの使用は無機質のようにも見える。しかし、概念の硬い殻が柔らかい感性の拳に握りつぶされたとき、哲学的な思考の水面に浮かんできたのは、モノの使用における対象との親和性である。人間が垂直的に道具を制御するのではなく、道具の使用を習熟しているうちに、道具と一体になり、「使う」側と「使われる」側とのあいだにほんらいにない、新たな関係性が生まれてくる。

近代文明は人間が自然を征服し、ほしいままに利用する歴史といわれているが、鷲田清一の説を敷衍すれば、それはしょせん進歩主義者の思い込みに過ぎない。道具や家畜や機械の使用はたんに身体の拡張だけではなく、そのプロセスは身体が道具や家畜や機械によって再編成される過程でもある。

道具や機械の使用は身体的能力の「外化」だが、必ずしも無条件な身体の自由を意味しない。自然に対する人間の「勝利」は、同時に身体の退化をもたらすことでもある。鷲田清一が示唆したのは人間と道具とのあいだの、そのような弁証法的な関係である。転用や借用など使用をめぐる多様な形態を探ることで、人間が利用するモノに絡め取られる様子はくっきりと炙り出されている。

「つかふ」という概念を突き詰めていくと、必然的に所有論の壁にたどり着く。民法に規定される「所有権」やヘーゲルなどの議論を一本の補助線として引くと、「所有する」者と「所有される」モノとのあいだにつねに位置が反転する契機がひそんでいることがわかる。そもそも「所有」は交換可能を前提にしており、本質的に自己否定への通路が開かれていることは、緻密な論理的な推敲によって解き明かされている。

人工知能やロボットに代表されるように、近年、科学技術は驚くべき進化を遂げた。人間はあらゆるモノを利用する手段は格段に精緻化し、生活は便利になった。だが、人間がモノによって雁字がらめになる行く末を哲学者は見通している。

文化の自己定義の揺らぎを映す

榎本泰子『「敦煌」と日本人――シルクロードにたどる戦後の日中関係』

敦煌（とんこう）のことを知っている若い人はほとんどいなくなった。四十年前の敦煌ブームを思うと、隔世の感にたえない。果てしないゴビ砂漠に向ける激しい情念はいったい何だったか。長いあいだ、忘れ去られたことだが、著者はこの課題に正面から挑んだ。敦煌のイメージはいかに形成され、どのような経緯をたどって膨らみ、そして消え去ったかが、周到な資料収集と丁寧な分析にもとづいて克明に解き明かされた。

あまり気付かれていないことだが、近代以降、日本人と敦煌の最初のかかわりは古文書に対する学問的な関心であった。二十世紀初頭、イギリス人探検家オーレル・スタインと、フランス人研究者ポール・ペリオが初めて敦煌の地に足を踏み入れ、相次いで貴重な資料を入手した。日本でも大きな関心が寄せられ、京都帝国大学では敦煌文書についての研究が始まった。京大の敦煌学の刺激を受けて、西本願寺の門主大谷光瑞が敦煌探検に乗り出し、莫高窟（ばっこうくつ）に赴いた第三次探検隊はついに日本人として初めて現地に到着した。そのあたりの経緯は手際よく整理され、敦煌熱が戦後に始まったという、ありがちな先入観が修正された。

井上靖の『敦煌』を語るのに、松岡譲の『敦煌物語』にさかのぼり、歴史家の論文、美術家や考古学者の旅行記などを視野に入れるのは優れた着想である。敦煌をめぐる神話は異なる分野の想像力が交錯するなかで編み出されたことが明らかになった。

敦煌とシルクロードはいわば楽譜の音符と五線のような関係で、シルクロードを語らずして敦煌ブームの謎も解かれない。「一帯一路」構想のとばっちりで、シルクロードという言葉はいまやすっかり泥まみれの様相を呈しているが、ほんらいドイツの地理学者リヒトホーフェンの造語で、大流行したのは日本においてであった。中国では一九四〇年代に「絲綢之路」という訳語が現れたが、広く知れ渡るようになったのは七〇年代以降のことで、それも日本の影響を受けたものだ。

シルクロードという言葉の意味は近代史のなかで変化してきた。七〇年代にいたるまで、南アジア、中央アジア、西アジアを経てヨーロッパへいたる、広大な地域を指していた。中国は文化大革命などで世界から孤立していたこともあり、長いあいだ、シルクロードのイメージには中国が欠落していた。

他者の記号学において、大きな意味の変容をもたらしたのはNHK特集「シルクロード」であった。七〇年代までのシルクロードブームに欠けていた最後のピース「中国」がはめ込まれただけでなく、やがて敦煌の淡い影がシルクロード上に覆いかぶさるようになった。

敦煌がシルクロードという物語において中心的な存在になったのは、小説だけでなく、映画や絵画も一役を買った。徳間康快(やすよし)や平山郁夫など敦煌伝説をめぐる人物像を通して、敦煌がどのように画像の演出により想像の聖地に祭り上げられたかが、明快に説かれている。

ただ、敦煌の人気は長く続かなかった。シルクロードブームが一夜のうちに敦煌ブームに変わったのと同じ速さで、敦煌に向ける夢もあっという間に潰えてしまった。

めくるめく興奮を通して見えてきたのは、現象の奥底に流転する時代精神である。敦煌に向ける遠方憧憬は必ずしも日中関係の潮汐にしたがって起伏するのではなく、日本の歴史は朝鮮半島や中国、インド、中近東ないし西欧の歴史と文化と接続するという認識のなかで生まれたものである。

敦煌神話の誕生から崩壊にいたるまでの経緯は一枚の鏡のように、文化の自己定義の揺らぎをくっきりと映し出した。

文学研究のあるべき姿を示唆する人物論

亀井俊介『英文学者　坪内逍遥』

坪内逍遥は小説家、劇作家、翻訳家や評論家として知られているが、「英文学者」としてまともに論じられてこなかった。その空白が名著『英文学者　夏目漱石』の著者によって埋められたのは喜ばしい。坪内逍遥の英文学に残した功績に対する公平、公正な評価もさることながら、「英文学者」という視点を通して、坪内逍遥の仕事にどのような特色があり、何が優れているかが明快に解き明かされた。

坪内逍遥の学風を一言でいうならば、西洋文学の理論に振り回されず、日本文芸の流れに立脚した独自の探索が挙げられる。英文学の知識を思考の触媒としながらも、自分のよって立つところの文化や精神性を忘れない。『小説神髄』にすでに端緒が現れ、生涯の仕事にその姿勢が貫き通されている。英文学者としては稀有な存在だが、なぜそれが可能なのかは、著者一流のレトリックで語られている。

美濃国生まれの坪内逍遥は自分が「田舎育ち」だ、と口癖のように言っていた。謙遜をよそおう自負だが、著者はその自己定義から、学者形成を方向付ける理由を見いだした。「田舎育ち」だからこそ論理的思考と緻密な計画性にもとづいて行動するのではなく、手探りしながら、さまざまなことに手を出し、何でもかんでも取り込もうとした。非凡な蛮勇ぶりは文明開化期における西洋文芸の受容に大いに役立った。

何よりも、文化の他者と相対するとき、「田舎育ち」は二重の相対化を可能にした。じっさい、「田舎育ち」が見た東京という経験は、東京から西洋に向ける眼差しの屈折を観察するのに役立った。

英文学にかぎらず、欧米研究といえば都会的な洗練さを連想させ、学界には自他ともに西洋かぶれと認める者も少なくない。その中にあって、坪内逍遙は恰好づけるようなことは一切しない。本人も自嘲気味にいっているように、「俗さ」を地で行くような仕事をしていた。著者はその「俗」的な姿勢こそ坪内逍遙の強みだと見ている。

夏目漱石との何気ない比較は論述の布置として機知に富む。英文学をどう研究するか、その方法論がまだ確立されていなかった時代だから、東京帝大英文科で勉強し、英国にも留学した漱石は英文学の内面化こそ自分に与えられた使命だと思っていたであろう。しかし、ロンドン滞在中にそれが逆立ちしても到底できないことを思い知らされてのたうち回った。「英文学に欺かれたるが如き不安」が生じたのもそのためである。

しかし、坪内逍遙は英文学を内面化しようなど、毛頭考えなかった。夏目漱石が抱いた不安は、坪内逍遙において作品との対話を通して蒸発させたのみならず、その不安を反発力に変えて新たな飛躍を遂げた。

坪内逍遙は英文学者にはなったものの、もとはといえば東京帝大の政治学科卒である。そうした気軽さもあって、英文学という高峰の稜線をいつも遠目に眺めていた。翻訳、評論などほとんど無自覚の処女地開拓だったが、高踏的な体得とは無縁の「俗」的な姿勢だからこそ英文学をもう一つの平面において捉えることができた。

明治期の西洋受容において、大真面目な秀才型人物と「田舎育ち」の学者は異なる反応を示していた。前者は欧米の文学・思想を新時代の頭で受け止め、終始真剣に考え、その思考の方向に遮二無二（しゃにむに）前進すべく努めていた。それはそれで明治期にふさわしい姿勢の一つであるが、坪内逍遙は違う道を歩んだのは、青少年期の読書経験と関係する、と著者は考える。

逍遥は少年時代「大惣」という貸本屋に入りびたり、草双紙、稗史（はいし）、読本（よみほん）のたぐいを読みふけっていた。江戸後期の俗文学について本人はくだらないと言ってはいたが、戯作的文学を心のどこかで捨てきれないでいた。そうした読書経験は逍遥の知識構造と感性を大きく左右したのみならず、後に英文学の作品に対する直観や、その批評精神にも濃い影を落とした。

坪内逍遙の対照として挙げられたのは二葉亭四迷と森鷗外である。二葉亭は西洋の「小説」の特質を知ろうと懸命に探究しているうちに、ロシアの批評家ベリンスキーの理論にたどりつき、その説を踏まえて「小説総論」を書いた。

森鷗外と坪内逍遙のあいだで交わされた「没理想論争」において、前者は理路整然とした論理で後者を論破したが、本人も明かしたように、議論の拠り所はドイツ哲学者E・V・ハルトマンの美学理論であった。

それに対し、坪内逍遙は最新の西洋理論にさほど興味はなかった。「田舎育ち」の逍遥が目指したのは「和漢洋三文学の調和」であって、西洋文学への一辺倒ではない。最新の批評理論を振りかざすよりも、客観性を重んじる評注などの仕事に英文学者としての存在意義を見いだした。日本の英米文学の学界において、いまなお批評理論信奉が幅を利かせていることを考えると、逍遥に対する評価は、たんなる人物論に止まらず、英文学研究はどうあるべきかについての提言であり、次の世代に託された「遺言」ともいえよう。

アメリカ文化の両面性　鋭く見抜く

大野裕之『ディズニーとチャップリン』

映像の二十世紀を代表する二人の巨匠。それぞれ違う道を歩み、両者の関係も一筋縄ではいかない。興味深くも困難の多い課題だが、チャップリンのことを熟知している著者は周到な調査と計算された構成によって、この壁を難なく乗り越えた。

ディズニーは小さい頃からチャップリンに憧れており、生涯の野心は「もう一人のチャーリー・チャップリンになる」ことである。アニメ映画の製作に取り組んでから、長らくチャップリンを師と仰いでいた。

映画界入りしてからまもなく、二人のあいだに友情が結ばれ、チャップリンが後輩の冒険を応援し、適宜に助言もした。ディズニーが最初の長編アニメ映画『白雪姫』の企画を立ち上げたとき、周囲から猛反対されたが、チャップリンは一貫してディズニーを励まし、企業秘密ともいえる資料まで惜しみなく提供した。大先輩の情報をもとに、ディズニーは配給会社との商談で有利な条件を引き出し、ビジネスとして大成功を収めた。一方、ディズニーの活躍もチャップリンに刺激を与え、映画製作においてその手法がしばしば参照された。

映像制作や娯楽産業の革新において、それぞれ驚異の力を発揮した二人の足跡を追うことで、キャラクターの成り立ちがおのずと解き明かされるのは気の利いた布置である。

一九一〇年代半ばからおよそ十年のあいだ、チャップリン人気にあやかろうと、この喜劇王を主人公とする「チャップリン・アニメ」が製作され、アニメ化のチャップリンは最初のキャラクターの一人になった。

チャップリンはアニメ初のオリジナルのキャラクターの誕生にも深くかかわっていた。映画プロデューサーのパット・サリヴァンはチャップリン・アニメを制作したが、映画が大当たりすると、作品に登場した猫のキャラクターのフィリックスを主人公に据えて新しいシリーズを企画した。「アニメ界で最初のオリジナルのスター・キャラクター」はこうして誕生した。ミッキーマウスは動物キャラクターの連想ゲームにおいて捉えられ、創作現場における直観の響き合いまで見逃さないのはさすがだ。

映像権の確立において、バトンがきっちりと渡された様子も克明に描かれている。チャップリンはかつて映像の無断利用に対し、損害賠償を求める訴訟を起こしたが、裁判の結果、何と全面敗訴となった。衝撃を受けたチャップリンは著作権の大切さを痛感し、それ以降、出資、制作から、主演、作曲にいたるまで、すべて一人でこなし、自分の名義で徹底的に管理した。

その姿勢はディズニーに受け継がれただけでなく、知的財産権は映像以外にも拡大され、チャップリンがほとんど気にしなかったグッズのマネジメントに対しても、細心の注意が払われた。今日、当たり前のようになった著作権だが、先人たちの血と涙の努力によってようやく確立されたことを改めて思い知らされた。

映画製作において、ディズニーはチャップリンの芸術を発展的に継承した。チャップリンは映像操作や変幻自在の身体芸を通して、キャラクターの面白さを最大限に引き出した。一方、ミッキーマウスはチャップリンの喜劇的な表現文法を引き継ぎながらも、トーキー、カラー化などの新技術が矢継ぎ早に取り入れられた。さらに、テレビ時代の到来を見据えての対策も練られ、時代の波に巧く乗ることができた。

しかし、気質、信条、芸術観や経営信念の違いにより、第二次世界大戦を境目に、二人はついに袂を分かった。ディズニーは映画製作から、テーマパーク、メディア・ネットワークへと手を広げ、アメリカの価値観を世界中にあまねく伝えるために、巨大な表徴の帝国を作り上げた。

それに対し、チャップリンは一つの価値観をあまねく広めるといった「普遍性」を目指していない。その映像芸術は異なる文化のなかでも共感が得られる柔軟な多様性を備えている。同じキャラクターでも、ミッキーマウスは内面的な生活が失われ、軽佻な図像として消費されているのに対し、チャーリーは内面的な性格を守り通したゆえに、いまでも個々人の内面に直接響く。チャップリンのほうにより多くの賛辞が寄せられたのは必ずしも愛好家ゆえんの贔屓ではない。アメリカ文化の両面性を鋭く見抜いた自然の結果である。

オリンピック初参加への道たどる

牛村圭『ストックホルムの旭日』

近代オリンピックはフランスの教育者ピエール・ドゥ・クーベルタンの提唱により創設され、一八九六年、ギリシアのアテネで第一回大会が開催された。日本が初めて参加したのは、明治四十五年に開催されたストックホルム大会である。本書は近代スポーツの導入を西洋の学問＝洋学の受容として位置づけ、オリンピックの初参加にいたるまでの道程をたどったものである。

近代日本の精神史において、オリンピック大会はたんにスポーツの競技大会だけではない。欧米の選手と同じ試合に参加し、好成績をあげるのは西洋文化を手に入れる苦闘であり、「文明国」になる象徴でもあった。明治期における西洋文化の受容はこれまでに多く論じられてきたが、陸上競技に焦点を絞り、周到な資料調査を通して解き明かしたのは初めての試みである。

森鷗外はかつて洋学の受容に三つの方法があるといった。一つは、西洋の言葉を習得し、その書物から知識を手に入れる方法、もう一つは外国人教師を招いて講義してもらう方法、三つ目は留学という方法である。著者によると、近代スポーツの導入についても同じことがいえるが、陸上競技の場合はやや事情が違い、後者の二つよりも「洋語を修めて其書を読（む）」ほうが大きな役割を果たしたという。

日本の陸上競技の発展においてオリンピックへの参加は重要な動機付けとなった。第一回オリンピック大会が開催されたとき、メディアではいち早く報道され、やがて米英の書物から得た知識が紹介されると、陸上競技の練習にも生かされるようになった。

著者がとくに注目したのは日本初の陸上競技教本で、大森兵蔵(ひょうぞう)の『オリンピック式　陸上運動競技法』である。大森兵蔵は日本が近代オリンピックに初参加したとき、選手団監督を務めた人物で、生涯、一冊の本しか残していない。そのなかでスポーツは文明論の視点で捉えられ、試合に役立つ技法や練習法などが紹介されている。本書は記述内容に立ち入り、スポーツ文化論と実技指導の両面からその意義を論証した。

文献学的な裏付けにこだわったのは本書の最大の特色である。武田千代三郎の「油抜き」という独特の訓練法から明石和衛が提唱した練習法や、大森兵蔵の教材にいたるまで、個々の記述が何に依拠したか、地道な調査を通して原典を明らかにした。一見、何気ない記述も丁寧な文献渉猟を通してようやく成し遂げたものであろう。

スポーツの起源をたどれば、ほんらい、趣味であり、気晴らしにするための身体活動である。近代になると、健康増進の側面が注目される半面、スポーツ試合は見世物になり、プロスポーツは娯楽産業として誕生した。オリンピック大会でさえいまやすっかりコマーシャリズムの埃にまみれた催し物になり下がった。

文化政治学の虫メガネで覗くと、身体の修辞学に隠された政治力学がくっきりと姿を現してくる。弱肉強食の帝国主義時代において、運動能力の競い合いは優劣序列の隠喩となり、やがて国家、文化や人種などさまざまな象徴体系において文化権力のイコンとなった。オリンピックが「文明国」の祭典だという言説の背後には社会進化論や人種主義、さらには帝国主義の影がちらついているのは言うまでもない。その意図を知ってか知らでか、明治日本も同じ文脈に沿って陸上競技を導入し、涙ぐましい努力で「洋学」としての近代スポーツを吸収した。その意味では、ストックホルムで開かれた第五回オリンピックにいたる道について、理論、実技、指導、訓練、選手の選考などの細部に立ち入り、その経緯を解明した意義は大きい。貴重な資料がふんだんに紹介され、スポーツを専門としない読者にもわかりやすい内容である。

政治の風圧にさらされた思想の漂流

福嶋亮大『ハロー、ユーラシア――21世紀「中華」圏の政治思想』

米中の覇権争いが激しさを増すなか、帝国化する巨大国家にどのような政治思想が生まれたのか。香港や台湾では民族概念の再編成に呼応して、社会思想の力線がどのような分布を見せるか。本書は中華圏の現代思潮に正面から向き合い、大陸、香港、台湾、さらには海外華人の言説を丁寧に読み解いた。さまざまな主張が生起する背景と、多様な言論に込められた情念、さらにはその政治的意義が、洗練された思考の言葉によって鮮やかに解きほぐされた。

近代が海洋帝国の時代ならば、古代から近世にいたるまで、ユーラシアの大陸帝国が栄光を誇ったことは幾度もあった。ユートピアを装ったディストピアに向ける夢想について精神分析を行うとき、「ユーラシア」という政治地理学の用語は、御粧（おめか）しした理論を読み解くのにぴったりの秘鑰（ひやく）となった。

近年の中国では、一帯一路を仮想背景とする理論が続々と登場した。代表格は趙汀陽が提唱した「天下システム」である。趙は中国の歴史から、文明の「連続性」、多民族社会の「兼容性」、信念体系の「非宗教性」という三つの特質を抽出し、政治形態としての「天下システム」という概念を提起した。国民国家はヨーロッパ起源の特殊なモデルに過ぎず、「天下」という政治概念こそ国民国家的な思考を超えられると標榜した。なめらかな隠喩にすけて見えるのは、西洋中心主義に取って代わる、中国中心主義への欲望であり、思想領域においてヘゲモニーを握ろうとする衝動である。

趙の『天下体系』などの著作をきっかけとして、「天下」論をめぐって、新たな神話が次々と創出された。著者は西洋の国家理論や海外華人の「新儒家」思想を参照しつつ、そうした政治神学の細部に立ち入り、天下＝中国そのものを生み出す思考回路から、必然的に帝国の思想に行き着く構造的特性を見いだした。

植民地の歴史的経験の残照を浴びて、香港や台湾は長年、理論不毛の地になり、外来の理論を受け身で消費してきた。近年、中国の圧力が強まるなか、政治的独立をめざす意識が高まり、存在価値を証明しようとする知的営為が目立ってきた。

台湾では米台間を往来する史書美が「台湾理論」の可能性について思考をめぐらし、批評家の陳芳明はポストコロニアル研究の立場から「文化的主体性の再建」を提起した。

著者がとくに注目したのは市民感覚に寄り添った香港文化の自己定義である。香港の知識人は本来、理論のよろいで身を固めるようなことはしない。彼らが本土意識に目覚めたのは、楽園の喪失という差し迫った課題に直面しているからだ。

香港の自治運動の組織者である陳雲が中国に対する文化的優位性を主張したのは、都市国家としての存在理由を見いだそうとしたためで、同じく政治的自立の夢を語っても、医師の徐承恩にとって、香港文化が持つ双極性障害の徴候は、むしろ大陸文化を峻別する指標となる。土着文化と西洋文化が合流し、根無し草の流れ者が群集する人工都市だからこそ、独自の価値観が生まれ、今後も守られていくべきだと徐は考えている。

言論の形態は多種多様で、発信の仕方も語りの対象も必ずしも同じではない。共通しているのは土地に根付いた政治的直観と、拘束を受けない意志である。そこから帝国の論理から自由になる根拠と、政治的共同体を創出する理由が見いだされた。

香港や台湾の存在を証明するための理論構築はまだ模索の途上にあり、体系的な政治思想の確立は今後パワー・ポリティックスの洪水に呑み込まれるかもしれない。著者は市民意識の水位変動に着目し、断片的な語りから時代変化の足音を聞きだそうとした。

現代思想の入り組んだ位相を明晰な知性で腑分けする力には脱帽した。中華圏にとどまらず、欧米や日本の思想、歴史、文学との結び目を確かめつつ、思想という制度が政治の風圧を受け、いかに弾性的および塑性(そせい)的な変形を生じたかは、喚起力のある文体によっていきいきと描き出されている。

帰属先の変化に伴う誕生と消滅

阪井裕一郎『仲人の近代――見合い結婚の歴史社会学』

結婚式に仲人が姿を消して久しい。いまや仲人という言葉を知らない若者も少なくない。仲人という制度の盛衰は近代史の重要な側面であるにもかかわらず、これまであまり注目されてこなかった。結婚の媒介として仲人の制度はいつ成立し、時が流れるなかで、いかに変容したのか。本書は意外な角度から近代史の風景を眺める扉を開けてくれた。

仲人は古代から続いてきた日本の伝統文化だと思われがちだが、江戸時代には仲人を立てる結婚形式が武士階級に限られており、明治時代以前の村落社会では仲人だけでなく、「見合い」という慣習も行き渡っていなかった。

日本は鎌倉時代から続いた「夜這い」の風習があり、結婚の仲介には「若者仲間」や「若者連」と呼ばれる青年男子の集団が大きくかかわっていた。配偶者の自由な選択という点において、近代以前の日本はむしろ世界の最先端に立っていた。

近代の「文明化」の過程において、一つの逆転が起きた。地方や農漁村の婚姻慣習は野蛮な風俗とみなされ、風紀紊乱（びんらん）を取り締まるために、媒酌結婚という儒教的な道徳が規範化された。明治維新の立役者で、後に政府の中枢に入った旧藩士の価値観も影響しているだろうが、それ以上に、明治国家は家制度を統治の根幹においたからだ。家族主義という伝統の創出において、仲人の媒介による結婚は伝統的な婚姻様式として正当化された。つまり、近代以降、結婚が自由になったのではない。反対に、近代化に伴い、男女交際や配偶者選択の自由が奪われ、婚姻様式が画一化した。手際よい交通整理によって、近代史の真実が言説の迷路を抜け出し、みごとによみがえってきた。

大正時代になると、恋愛を尊重する言説が登場する一方、恋愛は「正しい恋愛」と「正しくない恋愛」に区分され、家族主義の論理だけでなく、優生思想の観点から媒酌結婚が推奨されるようになった。

人間の行動様式は内省的な知性によってのみ規定されるのではなく、行動の様式化は信念の形成を方向付けることもある。そのあたりを見極めるのは難しいが、著者は言説のみならず、緻密な資料調査を通して、結婚媒介の実態にも迫った。

結婚媒介業は明治期にさかのぼるが、のちにその公共的な側面が注目された。一九三〇年、初の公営結婚相談所が誕生し、やがて「社会事業」や「厚生事業」の根幹に位置付けられた。戦時下には「産めよ殖やせよ」政策に合わせて、結婚報国懇話会や戦時版の婚活システム「結婚斡旋網」といった官製のネットワークまでが作られるようになった。

戦後日本の企業文化と仲人という制度の関係についての論証も鮮やかだ。経営家族主義のもとで従業員は企業に対する帰属意識が強化され、高度経済成長期の仲人ブームを支えた。バブル崩壊後、企業に対する帰属意識が希薄化するにつれ、仲人という慣習は形骸化し、やがて日本的経営との訣別とともに、急速に姿を消した。

近代史を振り返ると、社会構成員の帰属先は「村落共同体」から「家」へ、「家」から「企業」へと変わってきた。帰属集団の構造的変化こそ、仲人の誕生から消滅への道のりを規定したとする著者の仮説は十分、説得力のあるものだ。

仲人をめぐる言説は多種多様で、真相を読み解くには政治評論や社会批評のみならず、文学、映画なども視野に入れなければならない。著者は基礎資料を丁寧に吟味しながら、錯綜する現象の奥底に隠された問題の本質に迫った。恋愛しないで結婚する「交際0日結婚」が話題になり、ＡＩ（人工知能）に紹介された異性に会いたい若者が多くいるいま、面白くも考えさせられた一冊だ。

学問対象と研究者の緊張関係に着目

小野寺史郎『戦後日本の中国観』

近代日本の中国認識についてこれまでもさまざまなアプローチがあったが、本書は専門領域内の議論に焦点を絞り、研究史を主要な検討対象とするところに特色がある。書名は「戦後」となっているが、戦前までの中国観も論述の土台として簡潔にまとめられている。

戦後の中国史をどう区分するかは論者によって必ずしも一定しておらず、中国政治の変化に沿って語られているのが一般的である。著者は中国の状況変化を念頭に置きながらも、それに囚われることはなく、日本における研究傾向、学問対象と研究者の内面の緊張関係に着目して年代別の特徴を捉えようとしている。研究対象との心情的な距離を意識した時代区分は特色のある試みである。

近代日本において、中国史研究は独特な道をたどってきた。一九〇四年、東京帝国大学に「支那史学科」が設置され、後に「東洋史学科」と名称が変更された。やがて、歴史学は日本史、西洋史、東洋史の三つに区分されたが、東洋史では中国史が主要な地位を占めていた。ただし、近現代史は除外されている。江戸時代以来、「漢学」の素地があったとはいえ、世界史の地域区分において他の国と明らかに違っていた。

戦前にはおびただしい中国論があったが、大学に専門学科が設置されていない意味において、学問の対象とは見なされていないといえる。

学者の手になるものも含めて、中国に関する戦前の議論は二つの類型がある。一つは日本と西洋の共通性を強調し、中国を停滞した特殊な社会とする「脱亜論」である。もう一つは日本と中国の共通性を見いだし、西洋文明の普遍性に疑問を呈する「アジア主義」だ。古色蒼然の紋切り型のようだが、今日の言論界でもときおり幽霊のように形を変えて出没している。

終戦から一九五〇年代の前半までのあいだ、学問の世界では戦前からの東洋史学が引き継がれていた。中国の近現代史研究はまだ大学に居場所がなく、そのかわり、学会や研究会が中心的な場になっている。そうした研究の多くはマルクス主義にもとづいて歴史を把握し、民衆運動を重視する立場をとっていた。やがて、アメリカの研究手法を導入し、研究と政治とのつながりを重視するマルクス主義者を批判する学会や研究所も現れた。

五〇年代の後半になると、中ソ対立と文化大革命が起こり、学問と政治の関係が先鋭化した。とくに後者の場合、文革を支持するか否かが問われ、学者は政治的な立場の決断と表明が迫られた。中国はたんなる学問の対象ではなく、研究者の主体的な問題意識の前景化が顕著になった。文革に対する日本社会の強い関心もあって、ほんらいマイナーな分野だった中国研究が一躍、メディアで脚光を浴びた。

七〇年代から八〇年代のあいだ、国交成立と改革開放の追い風で、民間の対中感情が大幅に好転した。戦後生まれの世代が登場するに伴い、研究対象への感情移入はあまり見られなくなった。研究課題は細分化し、実証的な手法が主流を占めるようになった。

天安門事件をきっかけに中国イメージは大幅に悪化した。それに追い打ちをかけるように、歴史認識や領土問題をめぐって対立や衝突は相次いだ。そのあたりの事情は広く知られているが、著者は学問のネットワークという垣根のなかに、研究の断片化がいかに展開されたかについて、多くの実例を挙げて紹介した。

本書の目的は中国近現代史研究の学問的展開をたどることで、言論界の中国認識まで広く検討するものではない。ただ、そのあたりの線引きは必ずしも自明ではない。じっさい、研究者の手になる時評は「現状分析」として紹介されている。専門書は小さな学者集団のなかしか共有されていないのに対し、市民の中国観の形成は、ジャーナリストや中国ウォッチャーの発信に左右されることが多い。両者関係の解明は大きな課題で、そのことに深く立ち入らないのはむしろ賢明であろう。

戦後の中国観は中国近代思想をめぐる議論を抜きにしては語れない。本書では思想史に一定の紙幅が割かれているのもそのためであろう。それだけでなく、政治史、経済史、外交史、地方史の研究も多く紹介されている。近現代の歴史に限定しようとしても、現実的には難しいことがうかがえる。

中国論において史料の扱い方は多くの困難を抱えている。福沢諭吉の「脱亜論」は歴史のテクストとして解釈することもできるが、時論や批評としても読める。竹内好にいたっては、中国は一つの方法論に過ぎない。その言説も歴史の資料といえなくもないが、当初は現代思想と目され、さらには「文学」として消費されたという一面も見落とせない。そこには想像や隠喩ないし夢想の糸が複雑に絡んでおり、事実の歴史と想念の歴史は同じ政治空間のなかで重なり合っている。かりに学問的な正確さが誰の手にあるかについて議論しても、神学論争になりかねない。

時代背景の特殊性により、こと中国論にかぎっては、情緒的なものが伴いがちである。研究史を語るのも容易ではないが、そのことを自覚し、かつ多大な困難を乗り越えてあえて挑戦する姿勢を大いに称賛したい。戦後中国の研究史において今後、参照すべき基礎的な書物になったのはまちがいない。

「文脈の自由」に潜む大きな可能性

田島正樹『文学部という冒険』

文学部不要論が話題になったのは確かに六、七年前のことであった。大騒ぎになった理由の一つとして、若干の事実誤認があったことはこれまで指摘されてきたとおりである。文学部が危機に瀕しているというのは必ずしも外部からの批判ではない。また、内部の過剰な憂慮によるものでもない。受験生が減少し、教育研究者の定員も縮小し続けるという現実があったからだ。生き残り戦略として文学部の看板を下ろしたり、名称を変えたりした動きを見ると、むしろ内部のほうが現実を受け入れつつある感がある。ただ、出版メディアではいまだに論争の余燼（よじん）がくすぶっている。

試合はとっくに終わったのに、なぜ外野ではチアダンスがまだ続いているのか。一言でいうならば、時代の不確実性による不安であろう。有用と無用が市場での勝ち負けの隠喩になった以上、文学部は一つの寓意に過ぎない。しかし、文学が役に立つと主張しても、効用至上主義の思考回路に引きずり回されている点では変わらない。そこで、議論の戦術として、語りの迂回機動が求められる。従来の論争から遠く離れてこの問題に迫る本書はまさにその点において独自性を示している。

著者によると、文学は文脈に深くかかわっており、文脈は自由と密接不可分の関係にあるという。文学の営みはその社会的役割をはるかに超えており、文学の本質を探ることは世界に対する哲学的認識を深めるきっかけになる。

技術が高度化し、社会機能が細分化する今日、局所的な事象は生活の全般を覆い、生の全体像はますます把握しにくくなった。人々はメディアやネットに流れる情報を鵜呑みにし、凝り固まった固定観念でしか世界を捉えられていない。

市場経済は確かに共同体から個人を解放し、地球社会に向ける想像力を掻きたててくれた。一方、人間を含めすべての事物は貨幣価値によって値踏みされ、人間の能力はモノ（商品）になり、人と人の関係は商品交換のようにモノとモノの関係と見なされた。事物同士の生活連関が分断され、その内在的意味が奪われた。政治的な自由が保障されているという安心感の背後に、自由の困難という問題はつねに横たわっている。

自己増殖を続ける市場に振り回されるのではなく、人間の主体的な生き方を取り戻し、将来を見通すためにはどうすればよいか。科学万能の神話に惑わされるのではなく、錯綜した現象の奥底に潜んでいる本質を読み解く力が求められる。その能力はテクスト読解の訓練を通して身につけられる。なぜなら、人間は言語の動物で、芸術としての近代小説や近代批評には人間の叡智が言語表現の結晶として凝集されているからだ。

一口にテクスト読解とはいっても、さまざまな手法がある。著者が示したのは「文脈の自由」

である。そして、「文脈の自由」とは何かについて、個々の作品に即して、納豆のような粘り強い文体で、遠回しに遠回しを重ねて語られている。

文脈の自由とは第一義的に、むろんテクストの開かれた可能性を意味している。と同時に、テクストの文脈からの自由も示唆している。さらには失われた文脈を補うことで新たな知見を得ることもできるし、新しい文脈を発見することによって、テクストの限界を超えることもできる。『聖書』、『ハムレット』『ドン・キホーテ』から、プルースト『失われた時を求めて』、カズオ・イシグロ『わたしを離さないで』などの近現代小説、さらにはマンガの『映像研には手を出すな!』にいたるまで、読解の対象作品はそれぞれに時代が異なり、形式も内容も多岐にわたる。いずれも斬新な着想にもとづいて徹底的に吟味され、読者の裏をかく展開はこれでもかこれでもかと続いている。紙背に徹する胆汁質の眼光と、顕示的な引用にあやどられた文体には舌を巻くばかりだ。「文脈の自由」に大きな可能性が潜んでいることは、読みの実践を通して見事に示されている。

日本における大衆音楽の盛衰を読み解く

周東美材『未熟さの系譜――宝塚からジャニーズまで』

日本には少年少女のタレントが多く、十代のアイドル・グループは高い人気を誇っている。それに対し、アメリカでは知名度の高い俳優はフェロモン全開の美女かマッチョばかりである。日本のアイドル・グループは恋愛禁止だが、アメリカの連ドラでは高校生の妊娠・出産は日常茶飯事だ。「成熟」を価値とするアメリカでは十代のタレントがなるべく成人のふりをしようとしているのに対し、日本のアイドルは二十代になっても年齢不相応な可愛さを演出しようとする。戦後日本の大衆文化はひたすらアメリカの後追いをしてきたが、この点において鮮明な対照をなしているのはなぜか。著者は近代家族のあり方とメディアとのかかわりを手がかりにその謎解きに挑んだ。

未熟さに心が魅かれる心性は大正初期にすでにその端緒が見えた。一九一四年、《カチューシャの唄》という舞台劇の劇中歌が大流行し、ブームに乗ったレコード会社は大当たりした。四年後に創刊された子ども向け雑誌『赤い鳥』には多くの童謡が発表され、そうした童謡にはやがて楽譜が付けられ、歌われるようになった。

ほどなくして、子ども歌手が登場し、世間の注目を集めた。その人気にあやかろうと、コロムビアは多くの子ども歌手をデビューさせた。可愛くて歌の上手な女の子がレコード産業の花型商品になるにはそう時間がかからなかった。大人が長唄、義太夫節や地歌（じうた）に親しんでいるのに対し、子どもは学校教育で西洋音楽を身につけた。未成年者が流行歌の主役に躍り出たのは、そのような社会文化的な背景もあった。

童謡歌手に比べて、宝塚の少女歌劇の誕生は小林一三（いちぞう）という企業家の思い付きによるものである。ほんらい温泉客のための余興として考案されたが、少女たちの舞台が評判を集めたのを見て、小林一三は宝塚音楽歌劇学校を創立し、幼稚さと未熟さは商品価値とのあいだに目に見えない糸があることに気付いた。

近代家族の成立と流行歌の関係についての考察は本書の見どころの一つである。著者がまず着目したのが、大正期における家族のあり方と音楽消費との相関性である。一九二〇年代に入ると、日本各地で都市化が進み、新中間層が形成された。サラリーマン家庭では子どもが消費生活の中心になり、観劇もレコード鑑賞も家族愛の晴雨計になった。

戦後、経済成長に伴い、家族を中心とする音楽の消費行動はいっそう拡大した。茶の間で一家そろって流行歌を楽しむのは標準的な家庭の姿となり、音楽はもはや上昇志向の記号ではなく、子どもの情操教育にとって必要不可欠のものになった。

新世代のミュージシャンたちは進駐軍の基地でアメリカの流行音楽を知り、基地での音楽活動でその知識と技法を身につけた。彼らの媒介でやがて米軍基地の外にも空前のジャズ・ブームが起きた。興行の激増につれ、俳優らの権利を代行する芸能事務所が設立されたが、やがて芸能プロダクションはイベントを企画することで流行をリードした。ジャズマンがコントと歌を届けるという番組形式は「マイホーム」の記号学に取り込まれ、十代の少女たちを熱狂させた。そして、子どもは未来と希望、さらには幸福の隠喩として流行歌のメロディに乗せられた。「明るい家庭」の文脈において、テレビの視聴は家族団らんの象徴となり、チャンネルの決定権が子どもに委ねられた。未成年者の嗜好が視聴率に反映され、少年少女たちは未熟さの表象から感情移入しやすいおとぎ話を見いだした。

メディアが果たした役割についての検証は未熟さの美学を解明するのに大いに力を発揮した。レコード産業はかつて流行歌の成否を左右し、戦後にはテレビが歌手やアイドル・グループの運命を決定した。

舞台上で踊ったり歌ったりする少年グループは「未熟さ」を媒介に、ファンとのあいだで情緒的なやり取りができたのは、テレビによって仮想の関係性が築かれたからで、おびただしいグループ・サウンズが中高生の少女たちに熱狂的に受け入れられたのもテレビの介在なしでは考えられない。

七〇年代になると、オーディション番組が企画され、テレビ自体がついに演出の道具になった。ふつうの子がスターになれるという神話が作り上げられ、テレビという夢の空間において十代の少女たちが現代のシンデレラに祭り上げられた。幼さや純朴さを売り物にする企画者と、同様の美学を求める参加者の欲望との一致が増幅効果をもたらし、アイドルの低年齢化にいっそう拍車をかけた。

未熟さを好む心理はたんに流行音楽だけの現象ではない。未熟さを演じ、未熟さに徹し、翻って未熟さを誇示することは、アメリカという圧倒的な存在に寄りかかる戦後日本の自己投影であり、また、アメリカの巨大な影に対するささやかな抵抗でもあった。浮き沈みの激しいポピュラー音楽の移り変わりは丁寧な資料調査にもとづいて克明に再現され、流行の盛衰を左右する構造的な理由がわかりやすく読み解かれた。

あとがき

本書は二〇一五年後半から現在にいたるまでのあいだに、折に触れて書いた文化批評と書評を集めたものである。内容によって、三つの部分に分けられている。「一」の「不確実性の時代と文化のあり方」は『アステイオン』に発表された文化批評で、通信技術や人工知能（ＡＩ）の急速な発展は文化のあり方と行方にどのような影響を与えるかを論じたものである。「二」の「内からの眺め、外からのまなざし」から「六」の「羅針盤なき明日へ」は『山形新聞』の「直言」欄に掲載されたものである。「一」とは分量が違うものの、いずれも身近なことについて考えをめぐらしたものばかりだ。「七」の「故きを温めて新しきを知る」からは『毎日新聞』に発表された書評のうち、文学関係を除いたものである。

三十年前、東北芸術工科大学に赴任し、山形で充実した四年間を過ごした。その地で長女が生まれ、不惑の年を迎えた。さまざまな出会いがあり、公私ともに思い出の多い時期であった。それが縁で、山形新聞で執筆の機会をいただき、「日曜随想」に続いて、二〇一〇年から十年以上も「直言」欄に寄稿させていただいた。コラムの性質上、時事問題の話題を取り上げることが多いが、書物の世界しか知らない人間にとって、専門分野の境界を越え、書斎の外の景色を眺める貴重な機会となった。共同体と個人の関係を考えなおすきっかけが与えられ、意外な発見や驚きも少なくなかった。

書物の森を散歩するのは、いつも興趣が尽きない。なかでも新刊書は現代社会の知的活動を知るための、よいアンテナとなる。書店をめぐり、出来立ての本をめくるだけでも幸福感が湧きあがってくるが、その良しあしについて語る機会を恵まれたのは、それにもまして幸せなことである。文学関係以外の書評だけを選び出したのは本書の性格に合わせるためだ。

私事にわたって恐縮だが、昨年、初孫が生まれ、新しい命から元気と感動をいっぱいもらった。小さな体で全身の力を振り絞り、一生懸命ミルクを吸う姿や、純真無垢な笑顔を見ると、思わず涙がこぼれてしまうことがある。人類の航海はこうして世代から世代へとつないでいくのだと実感した。同時に、われわれは次の世代、次の次の世代に果たしてどのような地球を引き渡すか、とはっと気付かされることもしばしばあった。そうした思いが無意識のうちに執筆にも投影したのかもしれない。よりよい将来のためにも、一日も早く航海する羅針盤が見つかってほしい。

本書に収められた文章を執筆中、山形新聞社の伊藤哲哉さん、青塚晃さん、小林裕明さんなど歴代の論説委員長にたいへんお世話になった。小林裕明さんは二〇一六年三月から二〇二〇年三月までと、二〇二一年三月から二〇二二年八月まで二度にわたって「直言」欄を担当され、その間、五年半もお世話になった。いまだ面識はないにもかかわらず、こちらとしては何やら旧知のような印象を勝手に抱いている。仕事の連絡のかたわら、山形の季節や風物について語り合ったことが思い出されて懐かしい。

『毎日新聞』の書評デスク内藤陽さん、棚部秀行さん、武内亮さん、出水奈美さん、小林祥晃さん、五味香織さんにもすっかりお世話になった。互いに勤務先が近いのに、コロナの関係で対面できなくなるとは、つい二、三年前、思ってもみなかった。

田所昌幸先生との雑談はいつもながら啓発されることが多く、巻頭の論考ができたのも氏から宿題を与えられたお蔭である。執筆ならびに校正中に大栗佳奈さん、小林薫さんの手を煩わせたのもいまとなっては、懐かしい思い出となった。

今回の出版にあたって、長年の友人である植木雅俊氏にご紹介の労を取っていただいた。森下紀夫社長から一方ならぬご高配をいただき、お陰様で長らく出港待ちの小船はついにドックから漕ぎ出すことができた。九月下旬からハーバード大学で在外研究をすることになり、慌ただしい渡航準備のなか、松永裕衣子編集部長はじきじき編集作業にあたってくださった。校正作業はボストンのアパートで行うことになり、いろいろとお手数をかけたにもかかわらず、丁寧にご対応いただいた。記して御礼申し上げる。皆様のお陰様で此の小著はようやく日の目を見ることができた。本当にありがとうございました。

二〇二二年十月、美しい秋のケンブリッジにて

張　競

初出一覧

一　不確実性の時代と文化のあり方

疾走する技術に引き裂かれた社会と文化の行方『アステイオン』九四号、サントリー文化財団、二〇二一年五月二十日

二　内からの眺め、外からのまなざし

（『山形新聞』「直言」）

難民移民、日本の対応は　二〇一五年十月二十日
破壊のさきに平和訪れず　同十二月一日
日本の見識　世界に示して　二〇一六年三月一日
外国人観光客　対応準備を　同五月十七日
隣国を知る専門家を育てる　同六月二十八日
観光客誘致　先進国に学ぶ　同九月十五日
米大統領選後　溝修復が鍵　同十一月一日
不安定な世界　生きるには　同十二月八日
空き家利用、翻訳者を支援　二〇一七年七月六日
多様な情報から真相把握　同五月三十日
手厚い北欧の文学支援　同八月十七日
独裁国に厳しく対処を　二〇一八年十月三十日
混迷のいまこそ戦争を防げ　二〇一九年二月五日
核拡散　防止の努力を　同九月十九日

三　不安定という経験（『山形新聞』「直言」）

家族との親密性が変容　二〇一五年七月三十日
法を整備して子供を守る　同九月八日
控えたい過剰な電飾　二〇一六年一月十四日
公共の利益に気を配ろう　二〇一七年一月三十一日
心の中に壁を作らない　同三月九日
銅像たちの悲しき流転　同十一月七日
公務員、倫理観取り戻して　二〇一八年三月二十日
災害救援　地域に専門機関　同八月二日
女性自ら意識改革必要　同九月十三日
医療保険維持へ改革必要　同十二月十一日
「しつけ」名目の虐待防げ　二〇一九年三月十九日
多文化社会への備え必要　同六月十八日

四　明日のための教育とは（『山形新聞』「直言」）

研究職　労働時間短縮を　二〇一六年四月七日

文系不要論の間違いとは　同八月九日
「文系学部廃止論」は危険　二〇一七年四月十八日
外国語教育　広い視野で　同九月二十六日
記憶力　人間形成に不可欠　同十二月十九日
世界の変化に関心持とう　二〇一八年二月六日
キャリア変更できる社会に　同五月三日
広がる世代間の文化断絶　同六月十九日
世界の最新の動き知ろう　二〇一九年四月三十日
学部教育を三年制に　同十一月七日
若者の「草食化」は本当か　同十二月十七日
スクールバス導入　ぜひ　二〇二二年七月七日

五　コロナという非日常のなかで

（『山形新聞』「直言」）

情報公開法の不備正そう　二〇一九年八月六日
持続可能な成長の代償　二〇二〇年二月六日
隔離こそ最も有効な対策　同三月五日
一段と強力な対策必要　同四月十四日
非常時も図書館開いて　同五月二十六日
大衆なき社会の脅威　同七月七日
文化施設の規制に疑問　同八月十三日
新首相　環境施策に期待　同九月二十二日
コロナ対策　財政に不安　同十一月三十日
学生の精神的ケア必要　同十二月十日
長期化見据えて予備案練る　二〇二一年一月二十六日
オンライン授業に潜在力　同三月九日

六　羅針盤なき明日へ（『山形新聞』「直言」）

子育て支援に法整備必要　二〇二一年四月十五日
ガザ　勝者なき武力衝突　同六月一日
画一的な教育　転換必要　同七月八日
「想定外」こそ想定せよ　同八月十七日
米、タリバンともに敗者　同九月二十八日
選挙後求む　政策再点検　同十一月四日
政治の信頼回復　早急に　同十二月十四日
課題山積、今年も試練　二〇二二年二月三日
米EU、停戦協議に臨め　同三月十五日
国際政治「待つ」大切さ　同四月十九日
対立より融和と協力　同五月三十一日

核廃絶への努力の継続必要　同八月十八日

七　故きを温めて新しきを知る

（『毎日新聞』「今週の本棚」）

機智に富んだ話術で信仰の本質明かす　二〇一五年十一月一日

古典の魅力とその受容史を巧みに語る　二〇一六年四月三日

東京の懐に飛び込んできた革命家の群像　同十月十六日

博物学図鑑に芸術性求めた奥深さ　二〇一七年十月八日

入念な資料収集と考証　二〇一八年三月十八日

時代の可能性から大正を捉え直す　同六月十七日

些細な痕跡から事実掘り起こす　同十一月十一日

画家を通し美術史を照射　同十二月二十三日

手堅い考証で日記を読む手本示す　二〇一九年四月十四日

共振作用による思想体系の変遷　二〇二二年四月二十三日

八　知のアンテナを伸ばして

（『毎日新聞』「今週の本棚」）

文化の政策的価値に注目する理由　二〇一六年一月十七日

予測困難な時代を生きる知恵袋　同八月十四日

出版文化の先駆者の全貌が明らかに　二〇一七年四月二日

政治力学と指導者の意志　外交左右　同年五月十四日

哲学構想仕上げの身体論　二〇一八年五月六日

中立的な立場から束の間の友情を描く　二〇二〇年四月二十五日

外交戦略を構想するための理論構築　同六月十三日

天下を考え、文雅を忘れない　同七月二十五日

都市のあり方を思索するために　同九月十二日

民意を反映する流れのきっかけ　同十二月二十六日

九　境界を超えた眺望（『毎日新聞』「今週の本棚」）

感覚的な表象にひそむ可逆的な関係性　二〇二一年二月二十日

文化の自己定義の揺らぎを映す　同四月十日
文学研究のあるべき姿を示唆する人物論　同五月二十九日
アメリカ文化の両面性　鋭く見抜く　同七月十日
オリンピック初参加への道たどる　同九月四日
政治の風圧にさらされた思想の漂流　同十月十六日
帰属先の変化に伴う誕生と消滅　同十一月二十七日
学問対象と研究者の緊張関係に着目　二〇二二年一月二十九日
「文脈の自由」に潜む大きな可能性　同三月十二日
日本における大衆音楽の盛衰を読み解く　同七月二十三日

[著者]
張競（ちょう・きょう）
1953年、上海生まれ。上海の華東師範大学を卒業、同大学助手を経て日本へ留学。東京大学大学院総合文化研究科比較文化博士課程修了。東北芸術工科大学助教授、國學院大学助教授を経て、明治大学教授。専攻は比較文学・比較文化、東アジア文化交流史・文化史。1993年『恋の中国文明史』で読売文学賞（評論・伝記賞）、95年『近代中国と「恋愛」の発見』でサントリー学芸賞（芸術・文学部門）を受賞。
他の著作に『美女とは何か』（角川ソフィア文庫）、『海を越える日本文学』（ちくまプリマー新書）、『異文化理解の落とし穴』（岩波書店）、『夢想と身体の人間博物誌』（青土社）、『詩文往還』（日本経済新聞出版社）など多数。

羅針盤なき航海

2023年3月5日　初版第1刷印刷
2023年3月15日　初版第1刷発行

著　者　張競
発行者　森下紀夫
発行所　論 創 社
東京都千代田区神田神保町 2-23　北井ビル
tel. 03（3264）5254　fax. 03（3264）5232
web. https://www.ronso.co.jp/
振替口座　00160-1-155266

装幀／奥定泰之
組版／加藤靖司
印刷・製本／中央精版印刷
ISBN978-4-8460-2236-5